CB057661

SALUBÁ!

coleção orixás
NANÃ

A SENHORA DOS PRIMÓRDIOS

Cléo Martins

Rio de Janeiro
1ª edição | 3ª reimpressão
2023

Pallas

Copyright© 2008
Pallas Editora

Editor
Cristina Fernandes Warth
Mariana Warth

Coordenação da coleção
Helena Theodoro

Coordenação de produção
Christine Dieguez

Coordenação editorial
Silvia Rebello

Revisão
Mônica Aggio

Diagramação
Ilustrarte Design e Produção Editorial

Concepção gráfica de capa,
miolo e ilustrações
Luciana Justiniani

Todos os direitos reservados à Pallas Editora e Distribuidora Ltda. É vetada a reprodução por qualquer meio mecânico, eletrônico, xerográfico etc., sem a permissão por escrito da editora, de parte ou totalidade do material escrito.

CIP-Brasil. Catalogação-na-fonte
Sindicato Nacional dos Editores de Livros, RJ

M342n	Martins, Cléo Nanã: a senhora dos primórdios / Cléo Martins ; [Luciana Justiniani, ilustrações]. – Rio de Janeiro : Pallas, 2008. il. – (Orixás; 7) : Inclui bibliografia ISBN 978-85-347-0406-9 1. Nanã (Orixá). 2. Orixás. 3. Candomblé. 4. Culto afro-brasileiros. II. Título. III. Série.	
07-2250.	CDD 299.67 CDU 299.6.21

Pallas Editora e Distribuidora Ltda.
Rua Frederico de Albuquerque, 56 – Higienópolis
21050-840 – Rio de Janeiro – RJ
Tel./Fax: (21) 2270-0186
E-mail: pallas@pallaseditora.com.br
www.pallaseditora.com.br

SUMÁRIO

PREFÁCIO ♦ 15

INTRODUÇÃO ♦ 23

1 ALGUNS LINEAMENTOS SOBRE A RELIGIÃO DOS ORIXÁS ♦ 27

    A RELIGIÃO DOS ORIXÁS ♦ 28

    OS ORIXÁS ♦ 30

    A INICIAÇÃO ♦ 35

    A DANÇA DOS ORIXÁS ♦ 38

    A COMIDA DOS ORIXÁS ♦ 40

    O SIMBOLISMO DAS CORES ♦ 43

    OS TERREIROS DA BAHIA ♦ 44

2 NANÃ É CO-PARTÍCIPE NA CRIAÇÃO DOS SERES HUMANOS ♦ 49

    GEOGRAFIA DO CULTO A NANÃ ♦ 53

3 NANÃ É PODEROSA E INDEPENDENTE ♦ 57

    AS ESPOSAS DE OXALÁ ♦ 57

    NANÃ E OGUM ♦ 65

4 NANÃ NOS TERREIROS ♦ 71
NANÃ NAS VÁRIAS NAÇÕES ♦ 71
A COMIDA DE NANÃ ♦ 76
AS CORES DE NANÃ ♦ 80
ROUPAS E ADEREÇOS DE NANÃ ♦ 81
A DANÇA DE NANÃ ♦ 86
AS FILHAS DE NANÃ ♦ 93

5 NANÃ E SEUS FILHOS: A FAMÍLIA PACATINHA ♦ 97
NANÃ E OBALUAIÊ ♦ 99
NANÃ E OXUMARÊ ♦ 107
NANÃ E EUÁ, OBÁ, OSSÃIM E IROCO ♦ 109

6 A SENHORA DA VIDA E DA MORTE ♦ 115
A MORTE PARA OS IORUBÁS ♦ 117
ICU, A MORTE ♦ 122
BREVE NOTÍCIA SOBRE OS RITUAIS FÚNEBRES NO CANDOMBLÉ ♦ 127

7 MITOS DA TRADIÇÃO ♦ 131
1. A CRIAÇÃO DA VIDA E DA MORTE ♦ 132
2. O FILHO FEIO DE NANÃ É BELÍSSIMO ♦ 135
3. O FILHO FEIO DE NANÃ FICA BONITO POR CAUSA DE IANSÃ (UMA VARIANTE DA LENDA) ♦ 136

- **NANÃ** -

4. O FILHO DE NANÃ QUE MORA NO CÉU ♦ 138

5. NANÃ ESCONDE O FILHO FEIO E APRESENTA O BELO ♦ 139

6. OXUMARÊ ROUBA A COROA DE NANÃ ♦ 140

7. NANÃ CASTIGA O FILHO REBELDE ♦ 143

8. XANGÔ CORTA O CORAÇÃO DE NANÃ ♦ 145

9. NANÃ E OXALÁ ♦ 147

10. NANÃ E EUÁ ♦ 149

11. O LUTO DE OMULU ♦ 150

12. OXALÁ AJUDA NANÃ A SER JUSTA ♦ 152

13. OGUM DÁ UMA SURRA DE FACÃO EM NANÃ E FICA EMPESTEADO ♦ 155

14. OXALÁ, NANÃ E IEMANJÁ ♦ 159

A TÍTULO DE CONCLUSÃO... ♦ 163

GÊNESE: A EXPERIÊNCIA DO SAGRADO ♦ 165

GLOSSÁRIO ♦ 171

REFERÊNCIAS BIBLIOGRÁFICAS ♦ 177

Para minha avó Jandira, Vovó Conceição, da Casa Branca do Engenho Velho, Mãe Nitinha de Oxum e Mãe Cleusa do Gantois, em memória.
Para a Ialorixá Jojó do Alaketu e Cida de Nanã do Opô Afonjá.

"O Senhor Deus modelou o homem com o pó apanhado do solo" (Gênesis 2:7).

"Obatalá fez o homem com o barro, elemento de Nanã, e com o próprio hálito insuflou-lhe vida."

"No suor do teu rosto comerás o pão, até voltares ao solo, pois dele foste tirado. Sim, és pó e ao pó voltarás" (Gênesis 3:19).

"Nanã aceitou ceder o barro a Obatalá para a construção do homem. Impôs uma condição: após um tempo limitado, o elemento retornaria aos seus domínios."

Prefácio

Há homenagens na vida que para recebê-las há de cumprir-se rituais que correspondam à natureza do valor oferecido e do saber reconhecer.

O convite para prefaciar o livro de dra. Cléo Martins, Agbeni de Xangô, do Ilê Axé Opô Afonjá constitui para mim um dever sublime. Sou filha de Oxum, equede de Xangô Aganju, profundamente enraizada à Xangô Afonjá por razões de origem, história e cultura religiosas. Estas razões só me animam a assumi-las

• NANÃ •

— reconhecendo a nobreza do gesto, solicitando aos meus ancestrais que me orientem, para entender a competência singular com a qual a filha de Iansã, Agbeni de Xangô, fala de nossa mãe primordial: Nanã, a senhora dos primórdios.

A possibilidade de comunicação a respeito de Nanã requer um caminho de sabedoria especial que só se constrói com agudeza de inteligência, abertura de coração, competência e sobretudo vivência compartilhada com a realidade na qual estão inscritas a história, a tradição, a cultura, a mitologia, a ritualidade que constituem esta análise, fruto de estudo, pesquisa, expressão literária, reflexão e ação participantes.

A autora em referência, vem cumprindo este caminho de participação, observação, vida cotidiana, muito estudo e consulta bibliográfica, que lhe garantem uma reflexão segura, transmitida pela dádiva, dos orixás. Ela soube disponibilizar a serviço da continuidade dos ancestrais africanos seu dom de saber escrever com inteligibilidade e poesia.

É nesta perspectiva que o trabalho de dra. Cléo Martins alia ao mesmo tempo conhecimentos profundos, articulados aos contextos concretos de tempos e lugares, onde eles se realizam histórica e culturalmente dia a dia.

O resultado destas interações, parte portanto de conteúdos apreendidos pela autora, em campo e bibliografia, co-celebrando, co-promovendo, convivendo em diferentes terreiros, participando de encontros de estudo, simpósios, fóruns, seminários.

As lições e histórias de vida, os conselhos dos mais velhos, o rever de cerimônias rituais oferecem à autora condições de restituir os fenômenos sócio-culturais religiosos de que ela trata, em um processo de interiorização e socialização. São conteúdos preciosos, raros, que ela vai tecendo como quem borda num canevá, construindo cenários, imagens, reapresentando símbolos, articulando matizes de distintas cores, explicitando nuances de contextos relevantes à compreensão de uma realidade profundamente ancorada em tradições das quais só pode falar quem conviveu com elas, nas filigranas da disciplina, do rigor e do compromisso que constituem a beleza da vida no terreiro.

Nanã, a senhora dos primórdios aborda os aspectos da personalidade mítico-religiosa de um tempo e de um espaço determinados; Nanã, promotora e guardiã de ações específicas sobre o mundo; sua força e seus poderes a caracterizam entre representação e domínio da natureza, transformação, unificação de elementos sob aparência de contradição; Nanã, o mistério que dá passagem do Aiyê ao Orun em uma transposição mítica das dimensões existenciais. Nanã, inspiradora de rituais mítico-religiosos que concretizam o acesso dos seres humanos ao mundo do encanto, que constitui a mitologia a respeito dos ancestrais.

Nanã representa a imagem ancestral de um personagem histórico, cultural, religioso que participa dos momentos tangenciais da vida – princípio e fim; aquela que assume distintas designações de explicação cultural por uma diversidade de regiões, no continente e na Diáspora; aquela que, ao exercer domínio sobre elementos primordiais da natureza, identifica-se com seus semelhantes do panteão dos ancestrais do povo iorubá.

Nanã é, segundo a própria dra. Cléo Martins, mãe misteriosa, plena de grandeza iluminada pela transcendência de sua ancestralidade.

Todos estes aspectos constituem uma pesquisa contemporânea, neste trabalho de cuidadosa percepção, que a autora nos revela através de uma gama de informações raras, preciosas em todo o decurso do seu texto.

Quando Agbeni de Xangô, dra. Cléo Martins diz que "Nanã é a senhora da ambigüidade que não engana", ela estabelece ao mesmo tempo a correlação entre Nanã sábia, que exerce poderes sobre as profundezas escondidas na diversidade das aparências entre águas estagnadas, geração de lama e abrigo de girinos.

Em se tratando de rituais de passagem e papéis exercidos por Nanã a autora analisa com muito conhecimento o processo de transmutação na dinâmica da perda e do retorno à vida, pelo poder de Nanã relacionado ao fato subjacente de sua proximidade a Icu. É aí que ela nos brinda com informações em profundidade a respeito do ritual do Axexê, propiciador, de passagem, pelos poderes e tradições mitológico-rituais de Nanã e suas interações com Obaluayê, Oiá e Odé no mesmo processo. Tudo nos é explicado com o discernimento de quem conhece e participa: "amo axé bi la na pecé bé".

A questão do sincretismo é tratada por Agbeni, dra. Cléo Martins, de forma contundente, ao afirmar que a postura de Odé Kayodê, a Ialorixá Stella de Oxóssi nos revela lições de coerência, com processos ancestrais de resistência cultural e valorização do legado religioso africano e afro-brasileiro, sempre levado em consideração na História dos Terreiros Fundadores. Estas lições se refletem nas idéias que nos foram deixadas pelo Mogbá de Xangô Aganju, François de L'Espinay, que reafirma a posição lucidamente corajosa da Iyálorixá Maria Stella de Azevedo, em seu livro *Meu tempo é agora*.

Há uma riqueza pedagógica no presente trabalho expressada, a cada momento pela autora à medida que fundamenta seus argumentos, suas reflexões em vivências, experiências e código de procedimentos religiosos de terreiros fundadores e seus dignitários de origem iorubá e de outras tradições de matriz africana.

Há uma explicação ancestral e contemporânea para cada dimensão abordada a propósito dos orixás, seus símbolos, sua mitologia, sua ritualidade, sempre contextualizados em espaço e tempo dinamicamente reelaborados na diáspora a partir das raízes africanas.

Consideramos, por todas as razões aqui apontadas, que a Coleção Orixás é da maior relevância para todas as pessoas que cultivam o gosto pelo conhecimento, pelos saberes ancestrais, pelas tradições religiosas, e também pela busca de uma identidade africana e afro-brasileira. A contribuição de dra. Cléo Martins em *Nanã, a senhora dos primórdios* é extremamente valiosa, significativa para a compreensão das múltiplas dimensões da sociedade e da cultura nacionais.

Estudos, pesquisas e publicações desta natureza ampliam o conhecimento do mundo africano em suas dimensões mais profundas, desvendando aspectos que ainda não foram revelados à grande maioria das pessoas. Estes conhecimentos, saberes e experiências constituem o núcleo essencial das sociedades e culturas múltiplas e plurais.

Nanã, mãe primordial!

Maria de Lourdes Siqueira[*]

---

[*] Antropóloga, professora da Universidade Federal da Bahia e diretora da Associação Cultural Bloco Ilê Aiyê.

Introdução

Nanã, a senhora dos primórdios é mais um livro de minha autoria que faz parte da Coleção Orixás, da Pallas Editora, do Rio de Janeiro, para a qual tive a satisfação de escrever *Iroco, o orixá da árvore e a árvore orixá* (com a colaboração de Roberval Marinho), *Obá, a amazona belicosa* e *Euá, a senhora das possibilidades*.

Em uma coleção sobre os orixás, é absolutamente necessária a presença desta aiabá poderosa, a anciã

· NANÃ ·

que não teve medo de enfrentar a suposta arrogância do irascível Ogum, o senhor do ferro (com o qual se confeccionam os objetos pérfuro-cortantes), abolindo de seu culto, por isso, o uso da faca e de outros objetos feitos do referido elemento.

Escrever sobre Nanã, um orixá mais conhecido do que os demais publicados — apesar de vir se tornando progressivamente menos encontrado nos meios religiosos –, é um desafio. Digo isso porque a tarefa exige o confronto com dois aspectos polêmicos da frágil condição humana: o nascimento e é a própria morte.

Quando me foi proposto participar do projeto desta coleção, como autora, preferi inicialmente escrever sobre orixás cujos cultos infelizmente são raríssimos: Iroco, Obá e Euá, todos eles diretamente ligados a Nanã, a grande mãe de Omulu, Oxumarê, Ossâim e, para alguns, de Exu e Oxóssi (o popular orixá da família de Odé, dos orixás caçadores), e da qual aqueles três orixás também são filhos.

Escrevi as palavras de origem iorubá conforme seu som em língua pátria, para o leitor poder sa-

· **NANÃ** ·

borear a musicalidade que têm. Não tenho a intenção de apresentar um trabalho acadêmico cheio de citações e quejandos, mas apenas de partilhar a experiência do dia-a-dia dos terreiros, em uma linguagem coloquial e de fácil compreensão. Muitas sutilezas caberão aos iniciados e místicos de todas as religiões. Quem puder entender que entenda e dê graças!

Desfrutem da companhia de Nanã, esta anciã poderosa e sábia, o orixá de nossas inesquecíveis Mãe Cleuza do Gantois e Vovó Conceição do Engenho Velho, orixá que é a própria vida e é a própria morte.

Tirem os sapatos. Tomem um gole da bebida de que vocês gostam; não é pecado. Espreguicem-se porque é gostoso. Sintam-se acolhidos e livres, e deixem que o amor pelo povo-de-santo e sua cultura, que tanto contribuiu e vem contribuindo para a formação de nossa identidade, invada suas casas.

Fechem os olhos e pensem em uma mulher de cabelos brancos, envelhecida pelos muitos anos que viveu, altiva e poderosa, justa e bondosa, entretida em reunir material para a feitura de um boneco de barro. Esta anciã tomará a forma que vocês imaginarem e vestirá as roupas que vocês confeccionarem para ela. Ela poderá estar sentada em uma cadeira de balanço, lendo um livro para os netos, ou dançando em um terreiro da Bahia. Poderá, até, estar tomando chá com as amigas da mesma idade, ou a bordo de um avião, em um vôo internacional. Uma coisa é certa: os olhos desta senhora impressionam pelo brilho que transcende os tempos e nos remonta aos primórdios.

Era uma vez...

1 | Alguns lineamentos sobre a religião dos orixás

Há algumas décadas, muitos ignoravam a riqueza da cultura afro-brasileira, encarada com olhos preconceituosos e superiores. Uma coisa que ainda nos traz inquietação é a insistência de alguns teólogos ou estudiosos em classificar as religiões do mundo em "reveladas", "sapienciais" e, também – o que é triste –, em espúrias! A "Infinita Surpresa" nos livre desses falsos profetas para quem os deuses dos outros são os próprios demônios! Principalmente se

· NANÃ ·

"esses outros" ainda são povos sofridos e marcados pela opressão.

Hoje em dia, entretanto, os orixás são cada vez mais populares; mais e mais se tem sede de informações corretas, transmitidas "de dentro para fora". Essas informações básicas, juntamente com a história dos principais terreiros do nordeste e o registro de sua gente, ajudarão os leitores leigos a ter uma compreensão mais ampla de alguns conceitos contidos nas páginas deste livro.

A RELIGIÃO DOS ORIXÁS

Muitos leitores sabem que os orixás são as divindades do povo iorubá, de capital importância para a estruturação do mundo religioso afro-americano. Esse povo é encontrado na África Ocidental, entre Badagri, a oeste, e o rio Benim, a leste. Seus principais reinados estão na Nigéria e em parte do antigo Daomé, atual República do Benim.

• NANÃ •

Além dessa denominação geral, outros títulos são dados aos orixás. Aiabá, em língua iorubá, quer dizer rainha. É uma denominação atribuída a todos os orixás femininos, e a filhos e filhas dessas mesmas divindades. Os orixás masculinos são chamados de ocunrin (homem, em iorubá) ou aboró, nomenclatura também utilizada para seus filhos e filhas.

Candomblé é o nome popular dado, no Brasil, às casas de culto a orixás, voduns (divindades jejes) e inquices (deuses bantos). O termo tem origem banta e significa casa de oração. Para alguns, designa também o local onde se dança. O templo da religião dos orixás é chamado de terreiro ou de casa.

Hoje em dia, nesses primeiros anos do século XXI, cada vez mais os adeptos das diferentes religiões, preocupados com as condições do planeta, falam em ecumenismo ecológico. A religião dos orixás é ecológica por excelência, profundamente voltada para a natureza e para a preservação da vida.

Para o povo-de-orixá, o sagrado é vivido no cotidiano, no aqui-e-agora, e o aqui-e-agora significa nesta vida. É nela que procuramos atingir a plena felicidade, o que faz com que a morte não seja um bicho-papão de sete cabeças e com que os rituais de passagem sejam celebrados com muita comida, bebida, dança e alegria. A morte nada mais é do que o nascimento em uma outra vida, ou o retorno ao Orum (o céu), sendo que a vida do ser humano está intimamente ligada à escolha do ori – a cabeça, no sentido espiritual.

OS ORIXÁS

Para muitos religiosos, os orixás são deuses. Para outros, são entidades espirituais, espécies de anjos, comandadas por Olorum, sincretizado com o Deus judaico-cristão. Para alguns religiosos com espiritualidade mais ecumênica, os orixás são considerados manifestações culturais de um Criador (ou Criadora) de infinitas vozes e faces. A questão é fascinante.

Concordo com a corrente que afirma o monoteísmo da religião dos orixás: Olorum, o senhor dos céus; Olodumare, o senhor da criação e Olofim, o senhor do infinito, compõem a trindade incriada. São o criador (ou os criadores) de tudo o que existe, embora haja quem afirme que Olorum, Olofim e Olodumare sejam sinônimos da mesma divindade infinita, criadora de tudo o que existe no Orum (o céu) e no Aiê (a terra).

A experiência religiosa nos leva a afirmar que os orixás são expressões da trindade infinita, que tem infinitas maneiras de se apresentar. São muito mais que os anjos ou santos de outras tradições religiosas porque são manifestações culturais descendentes do criador (ou criadora), que é amor sem fim e – o que é lindo e sustenta nossa fé –, é Infinito Presente e Eterna Surpresa Amorosa. Acreditamos que esse criador (ou criadora) tenha se revelado (e ainda se revele) para todos os povos para quem teve uma palavra particular de afeto e incentivo. Este criador é livre, gratuito e surpreende porque, quando menos se espera, ele muda o rumo da história da humanidade. De mais a mais, conforme salientou

• NANÃ •

a teóloga Ivone Gebara em um encontro em Camaragibe, Pernambuco, no ano de 1998, "Deus tem uma cozinha com infinitas iguarias. Cada um e cada uma se serve do que mais gosta e do que precisa saborear". Tenho certeza de que a escolha do prato não impede o amor e a convivência entre os povos. Caso isso fosse impedimento para uma celebração da vida, o que seria do fogo de Xangô e Oiá?! Para que haja esse elemento sagrado é necessária a reunião destes dois orixás. Contudo, Oiá foge às léguas de uma iguaria que o esposo saboreia com delícia: carne de carneiro...

Muito próximos da trindade criadora estão os orixás Obatalá, Odudua, Orumilá, Nanã e Iemanjá, e os seus descendentes Exu, Ogum, Omulu, Oxóssi, Ossâim, Oxumarê, Logunedé, Xangô, Iroco, Oiá (Iansã), Obá, Euá e Oxum (as divindades cultuadas na diáspora brasileira). Há quem diferencie os orixás (os originais) dos eborás (descendentes dos primeiros), chamados de orixás-filhos.

· NANÃ ·

Orumilá é o mestre da adivinhação. Obatalá (identificado com o elemento ar) e Odudua são os executores da criação, da qual os senhores absolutos são os incriados Olodumare, Olofim e Olorum. Obatalá e Odudua são os responsáveis pela vida no aiê. São os titulares do elemento branco, os chamados orixás funfun (orixás do branco).

Nanã divide com a polêmica Odudua (que para alguns é do gênero masculino) e com Iemanjá a condição de aiabá dos primórdios, por ser a senhora da lama e do barro, a responsável pela forma de nossos corpos, modelados por Oxalá com o elemento sagrado que ela nos empresta durante nossas vidas, e que retorna aos seus domínios quando termina a vida no aiê. Por isso, Nanã se identifica ao mesmo tempo com os elementos água e terra: é a senhora da matéria primordial e também da morte. Iemanjá é a fonte original de todas as águas, o elemento com que se identifica.

Entre os eborás (descendentes dos orixás que executaram a criação), Exu, Ogum, Omulu, Oxóssi e

Ossâim estão intimamente identificados com o elemento terra; Oxum, Euá, Obá e Logunedé, com o elemento água; Xangô, com o elemento fogo; e Oiá, com o elemento ar. Contudo, Exu e Oiá também se identificam com o fogo; Iroco, Euá e Obá, com o ar e também com a terra.

A questão da qualidade do orixá é bastante sutil. Isso porque há orixás de uma mesma família que não são necessariamente "qualidades" do mesmo orixá, a exemplo de Erinlé, que pertence à família de Odé, dos orixás caçadores, entre os quais destaca-se Oxóssi, o caçador das profundezas das florestas, que é classificado em nossa tradição como orixá ibô (do mato) por excelência.

Erinlé, também chamado no Brasil de Ibualamo e de Inlé, é um caçador aquático, muitas vezes considerado equivocadamente uma qualidade de Oxóssi. O mesmo ocorre com Xangô e Airá. Para alguns, o segundo é uma qualidade do primeiro, o que é contestado pelos terreiros tradicionais, a exemplo da Casa Branca do Engenho Velho, em que o culto

· NANÃ ·

de Xangô e Airá têm características peculiares e independentes.

Hoje em dia é cada vez mais comum alguém proclamar, sem o menor constrangimento, a qualidade de seu orixá, em alto e bom som. Por exemplo, ouve-se muito serem ditas, de forma ingênua ou irresponsável, coisas assim: "Eu sou filha de Iemanjá Ogum Té, de Oxum Apará, de Oiá Balé." Isso é criticado e repudiado pelos mais antigos porque a qualidade de determinado orixá é segredo de esteira, isto é, é algo que diz respeito somente ao iniciado e a seus orientadores espirituais.

A INICIAÇÃO

A religião dos orixás não é proselitista. Para que alguém se torne sacerdote ou sacerdotisa de um determinado orixá é preciso, antes de tudo, que a divindade tome a iniciativa da escolha, chamando o neófito ao sacerdócio. Esta vocação é composta de sinais, discernimentos, reconhecimentos. É um processo complexo e importante, a exemplo do que ocorre nas demais religiões. Não há a mínima diferença. Vocação é sempre vocação e a divindade não erra. Nós é que nos precipitamos, algumas vezes, na leitura dos sinais. A iniciação de alguém sem a verdadeira vocação sempre termina em tristeza e amargura. É necessário que o discernimento vocacional seja feito por pessoas experientes e sábias. Ninguém entra em um templo de culto aos orixás e pede para ser iniciado, pois isso não depende da vontade deste alguém; tal fato tampouco impede que qualquer pessoa seja adepta da religião dos orixás.

A iniciação de um olorixá (filho de orixá) leva no mínimo sete anos e consiste em uma etapa inicial seguida por complementações realizadas no terceiro e nos sete anos subseqüentes. Ordinariamente, a primeira fase é de reclusão absoluta e dura 16 dias para a maioria dos orixás iniciados (com exceção de Obaluaiê, para quem leva 14 dias, e Xangô, para quem leva doze dias) além de meses de preceitos,

NANÃ

isto é, de observância de regras e restrições de caráter religioso. A segunda fase, realizada três anos depois, dura três dias e a derradeira, chamada obrigação de sete anos (exceto para os filhos de Xangô, cuja iniciação se completa no decurso de seis anos), dura sete dias. A obrigação de sete anos é a mais solene das obrigações porque nela o iniciando adquire o grau sacerdotal pelo resto da vida, completando a iniciação, que antes estava "no meio" ou no "princípio do caminho". Após esse período, o olorixá, que era chamado de "iaô" (esposa/o do orixá, sinônimo de noviço/a), passa a ser conhecido por ebame ou ebome, do original egbón, termo iorubá que quer dizer "meu irmão mais velho". Os ebames, sacerdotes e sacerdotisas dos orixás para os quais foram iniciados, compõem toda a complexa hierarquia das comunidades-terreiro.

Assim como existe o chamado espiritual para o sacerdócio, ele também existe para o sumo-sacerdócio de uma comunidade: a escolha de um babalorixá e de uma ialorixá pressupõe a vocação, em especial quando

• NANÃ •

se trata de sucessão pelo falecimento do pai (ou da mãe) do terreiro. O babalorixá (ou a ialorixá) deverá ser uma pessoa dotada de liderança e tino administrativo, além de conhecedor profundo de sua religião e dos costumes da casa que lidera.

A DANÇA DOS ORIXÁS

Em geral, a coreografia dos orixás é observada por todos os terreiros da mesma nação. Contudo, existem pequenas variações de comunidade para comunidade. A liturgia da religião dos orixás é riquíssima, colorida, de exaltação do belo, do harmônico e estético.

Na tradição dos orixás (e também dos voduns e inquices), a parte da liturgia que compreende as danças – tanto do xirê, como da divindade manifestada em seus sacerdotes e sacerdotisas – é de grande relevância para a comunidade religiosa. O iniciado deve empenhar-se em aprender as danças litúrgicas, em especial as dedicadas ao seu orixá, sob pena de sofrer o descrédito do grupo. A dança descuidada, executada sem vontade ou critério, expõe toda a comunidade ao constrangimento público. Contudo, o iniciado deverá esforçar-se por dançar com dignidade, de forma sóbria e religiosa, sem grandes exageros.

A iniciada deverá ter um cuidado especial com suas vestes litúrgicas de festa, utilizadas para dançar, pois estas testemunham sua opção de fé. Tudo nos leva a crer que, quanto mais as roupas estiverem bem passadas, harmônicas e sóbrias, maior é o testemunho de vida religiosa dado pela adoxú: é prova de amor e de intimidade que tem com o orixá de sua cabeça.

No candomblé a dança é uma forma peculiar de comunicação e veículo do sagrado, porque tudo é dança. A divindade celebra dançando, abençoa seus filhos dançando, corrige-os de alguma falta dançando. Dançando, o neófito adquire a condição de adoxú, ou acólito do orixá (também chamado de equede, ogã e obá de Xangô no Opô Afonjá). Dançando, o orixá aponta seus ogãs, equedes e obás, e é por intermédio da dança que "são chamados os orixás dos abiãs" no processo de iniciação.

Come-se durante a dança sagrada. Em algumas comunidades, Obaluaiê dança durante o Olubajé (um banquete de comidas de sua predileção e, também, de outros orixás que oferece aos convidados). Enquanto o olubajé está sendo dividido, o senhor da terra permanece dançando, distribuindo o próprio axé, abençoando os comensais.

A COMIDA DOS ORIXÁS

A religião dos orixás é uma religião de festa e "divisão de comida que se come junto, de preferência de mão": a maneira cultural (na tradição) de comer que, segundo os mestres e mestras, preserva o axé.

Hoje em dia, o "comer de mão" vem sendo substituído, de forma radical, pelo uso de talheres (horríveis)

· NANÃ ·

de plástico, distribuídos durante a liturgia, o que pode ser bom pelo lado da higiene e da facilidade, mas péssimo pelo lado do axé. Seja lá como for, os antigos costumam dizer que "tudo no candomblé começa e acaba com comida". Os alimentos contêm axé – ou seja, são sagrados – e cada orixá tem sua iguaria especial, que lhe é oferecida pelos filhos e devotos.

Mas, conforme costumamos dizer: atenção! O orixá não come só, bem como não se desperdiça comida na referida tradição religiosa. O desperdício ofende o orixá e não é fonte de vida, porque muitas pessoas não têm para comer o que necessitam e desejariam consumir. Uma parte ideal da comida é colocada para a divindade. Outra é dividida entre os presentes à festa, que será muito mais plena se muitos e muitas comerem da comida sagrada, celebrando com a divindade o fato de estarem vivos e com saúde.

O orixá não impõe restrições ou regras para que os humanos participem do banquete sagrado. Quem estiver presente à Casa é convidado a comer e beber porque, afinal, não cai uma simples folha de

· NANÃ ·

uma árvore se não for da vontade do orixá. Quem chegou que se sente, relaxe e coma, dando graças pelo aqui-e-agora. Entristecem-nos as religiões que impõem condições humanas (premiações e exclusões) no que diz respeito à participação da mesa do sagrado. Cremos que esses ágapes ficam reduzidos a meros atos mecânicos nos quais a Graça, que antes deveria ser livre, acaba relativizada.

Não acreditamos que o ser humano, apenas por iniciativa própria, mereça o bem ou o mal. Não somos merecedores da graça que liberta, nem dos infortúnios desta vida, alguns insuportáveis sem o auxílio do transcendente. Temos que nos esforçar em prol da vida, respeitando o outro e os seus direitos, tentando trabalhar nossos aspectos frágeis da melhor forma, sempre contando com a misericórdia de Olodumare, Olofim e Olorum em suas múltiplas faces. A misericórdia divina está presente em todas as religiões que exortam a vida e repudiam o mal.

A religião dos orixás não é diferente das demais. Acredita-se que o sagrado chegue primeiro e é ele quem convida a comer junto. Somos meros instrumentos da divindade. E nada melhor do que desfrutar da companhia de Nanã, uma das manifestações primordiais do sagrado.

O SIMBOLISMO DAS CORES

As cores estão profundamente presentes na religião dos orixás. Na natureza, as cores branca, preta e vermelha são os carros-chefes das demais tonalidades, pois representam os três grupos de elementos sagrados contidos no aiê: o branco, o preto e o vermelho. O sangue do igbi (caramujo), que é o principal animal do culto de Obatalá, pertence ao grupo branco. O sumo das plantas é ligado ao grupo preto. A cor vermelha é simbolizada pelo sangue dos mamíferos.

Os orixás estão intimamente ligados aos referidos grupos de cores. Obatalá é diretamente conectado à cor branca, que é a reunião de todas as demais. A cor branca é representada pelo efum, um giz vegetal que é indispensável no preparo de coisas de axé.

Ogum, Oxóssi, Erinlé e Logunedé pertencem ao grupo preto, liderado pelo uági (waji), elemento de origem vegetal, cuja cor é o azul-marinho.

O ossum é o elemento líder da cor vermelha, a tonalidade da vida, das emoções, paixões, criações. O vermelho é o grupo no qual se encaixam os orixás Exu, Oiá, Obaluaiê, Xangô, Obá e Euá.

OS TERREIROS DA BAHIA

Os mais antigos terreiros de culto aos orixás estão situados na cidade de Salvador, na Bahia. O primeiro a ser fundado foi o da Casa Branca, conhecido popularmente por "Engenho Velho", cujo nome completo é Ase Iya Naso Oka Bangbose Obitiku. Dele saíram os candomblés do Gantois (Ile Iya Omi Ase Iyamase, no bairro da Federação) e Opô Afonjá (Ase Òpó Afonjá, popularmente chamado de candomblé de São Gonçalo, por estar situado no bairro de Cabula ou São Gonçalo do Retiro). O outro terreiro entre

• NANÃ •

os mais antigos é o Alaketu (Maroalaje), situado no bairro de Matatu de Brotas.

O Opô Afonjá, dedicado ao orixá Xangô, foi fundado em 1910 por Eugênia Anna dos Santos, Oba Biyi, responsável pela liberação, no Brasil, de qualquer tipo de manifestação religiosa de origem africana, dados seus apelos ao então ditador Getulio Vargas, por intermédio do ministro Graça Aranha.

A cultura de Salvador também teve uma forte influência dos povos jeje e angola. Podemos diferenciar, no Brasil, três categorias principais de jeje (também conhecidos por fons), que são os mahi, os savalu e os mina. O culto às divindades jeje-mahi predominou em Salvador e no recôncavo baiano, particularmente em Santo Amaro, São Félix, Cachoeira e Muritiba. O principal terreiro jeje-mahi da Bahia é o Bogum (localizado em Salvador, no Bairro do Rio Vermelho de Baixo), cujo nome completo é Zogodô Bogum Malê Rundó. Os principais voduns cultuados pelos mahis são Bessém, Sobô, Badé, Kpó, Loco, Aziri, Gú, Aganga-Tolú, Sàpáta e Lissa, entre muitos outros.

• NANÃ •

Os templos que se destacam como os principais da tradição mina-jeje são o terreiro savalú Corcunda de Iaiá (em Salvador) – hoje em dia praticamente desativado, que tinha um culto a Nanã muito especial – e, no Maranhão, a Casa das Minas (Querebetã de Zomadonu). Os mina cultuam divindades ligadas às famílias reais do antigo Daomé, divididas em grupos de voduns, que são os da família de Davice, os voduns reais, dos quais se destacam Zomadonu, Nochê Naé (a grande mãe), Acoicinacaba e Arronoviçavá; os da família de Savalunu, família de muitos voduns toqüens (jovenzinhos); os da família de Dambirá, da qual citamos os voduns Acossi, Sàpatá, Azili e Azonce; e os voduns da família de Keviossô, que é considerada estrangeira pelas demais. Fazem parte desta última, entre outros, os voduns Nanã, Nochê Sobô, Badé, Lissa, Averequete e Eoá.

Os bantos cultuam os inquices, entre os quais os principais são Mavambo, Incôssi, Mutuculambô, Insumbo, Tempo de Abanganga, Catendê, Gongobira, Inzazi, Lembarenganga, Jamafurama, Quissimbi,

• **NANÃ** •

Caiaris (Caiá), Bamburucenavula, Quissanga, Incodiamambo e Zumbá. Os grandes centros culturais soteropolitanos das tradições congo-angola são os terreiros Bate-Folha (Mansu Banduquenqué), comunidade religiosa fundada no início do século XX no Bairro da Mata Escura, e Tumba Junçara, fundado por Manuel Ciríaco de Jesus, "Tata Ciriaco" (Ludiamugongo), nas primeiras décadas do século XX, situado no bairro de Vila América. Ambos são descendentes do terreiro Atombenci, fundado nos fins do século XIX pela Nengua Maria Neném.

2 | NANÃ É CO-PARTÍCIPE NA CRIAÇÃO DOS SERES HUMANOS

Nanã, a aiabá dos primórdios, é a senhora das águas paradas, dos pântanos e lagoas, das areias movediças e das poças de água. É a senhora da lama, por excelência: a síntese de elementos primordiais, podendo ser definida como "início, meio e fim".

Não foi por acaso que transcrevi um trecho do livro do Gênesis logo no início desta obra. O texto escrito há milhares de anos é uma alegoria sobre a criação da vida humana, originada do pó da ter-

• NANÃ •

ra animado pelo hálito divino. Segundo a tradição religiosa histórica responsável pelo referido livro do *Pentateuco*, Javé modelou o homem com o pó, apanhado no chão, dando-lhe vida, após insuflar-lhe o próprio hálito, a fonte da existência humana.

Na religião dos orixás, tão antiga quanto o judaísmo (as duas tradições religiosas provêm de localidades próximas), os itãs (mitos) relatam que Obatalá (ou Oxalá) é o criador de todos os seres vivos, a quem concedeu a vida insuflando-lhes seu emi – o sopro sagrado. Contudo, não agiu sozinho na tarefa de criar os seres vivos e, em especial, o homem e a mulher, sua obra-prima. Necessitou da cumplicidade e colaboração inestimáveis de Nanã, a anciã, a qual cedeu-lhe a lama – seu elemento primordial – para o bom desempenho da tarefa.

Conta o mito mais conhecido que Obatalá tentara criar o homem, cumprindo uma determinação de Olorum-Olodumare-Olofim, o qual encarregara Odudua da criação do Universo. Obatalá experimentara vários elementos para confeccionar a cria-

· NANÃ ·

tura sem obter resultado favorável. Decidiu apelar para Nanã. A aiabá aceitou colaborar, impondo uma condição: seu elemento, o barro, retornaria para ela após o período de passagem da criatura no aiê (para os iorubás, o orum é o ponto de eternos e sucessivos recomeços). Obatalá aceitou a condição. Com a lama modelou o boneco, derramando-lhe o próprio hálito: nascera a vida no aiê.

Oxalá ficou sendo o senhor da vida ao lado de Nanã, a senhora do princípio e do fim: a morte. Nanã é, portanto, a co-partícipe na criação. Oxalá e Nanã caminham juntos. Para que exista vida, é necessário o elemento de Nanã, oriundo da terra, somado ao sopro de Obatalá o qual, uma vez retirado, confere à velha aiabá o direito de reclamar a restituição do elemento cedido.

Em nossa tradição afro-brasileira, enfoque principal destes escritos, Nanã se apresenta na forma de uma senhora idosa e muito lúcida, sábia, poderosa e que tem conhecimento do próprio poder. Ela é justa e solitária, forte e corajosa, e, mais do que tudo, dotada de um caráter ambíguo, a exemplo de muitas divindades primordiais ligadas à terra. Isto porque ela, que é a fonte de vida por excelência – não só dos seres humanos, mas de tudo o que existe –, também é a senhora de Icu, a morte, que está eternamente a seu serviço.

Nanã também é intimamente ligada a seu filho Obaluaiê, o responsável por transformar o falecido na matéria-prima que pertence à aiabá, devolvendo-lhe a forma original, para que seja novamente emprestada a Obatalá, entregue à eterna tarefa de modelar e animar os viventes.

Além de ser a senhora das águas paradas, estagnadas, muitas vezes insondáveis, Nanã também é um orixá da agricultura. Sua relação com a lama, a terra úmida, associa-a à fertilidade e aos grãos. Para que a terra produza, ela tem de ser constantemente regada. Essa ligação da senhora dos primórdios com a agricultura aproxima-a de Deméter, a deusa grega do trigo, pertencente à segunda geração divina dos deuses olímpicos. Deméter era chamada de a "deusa-mãe", que também se identifica, em alguns aspectos, com a senhora da lama. Sua filha, Perséfone, foi raptada por Hades, o senhor dos infernos e das profundezas da terra. Depois desse rapto (a terra se abriu e Perséfone foi tragada), a mãe, inconsolável, deixou de fazer germinarem os grãos semeados. Pôs-se a procurar a filha pelo mundo, disfarçada na figura de uma anciã – uma das características de Nanã.

GEOGRAFIA DO CULTO A NANÃ

O culto dessa divindade complexa, tão antiga para os africanos, é praticado em uma vasta área do oeste da África. As pesquisas indicam que o culto se estende além do rio Níger, ao leste, até a região Tapa, a oeste, passando pelo rio Volta, nas regiões de Guang, bem ao nordeste do território dos axanti. Nanã é muito cultuada pelos iorubás e os fons da Nigéria e do Benim, e também pelos jejes do Benim e do Togo, possuindo um culto substancial em Gana.

· NANÃ ·

É interessante deixarmos registrado que o culto de Nanã Burukú é muitas vezes confundido com o de Xapanã-Obaluaiê-Omolú em algumas localidades, o que absolutamente não ocorre em outras plagas – em especial no oeste.

É muito discutível a origem do culto a Nanã no continente africano, onde é conhecida pelos nomes de Nàná Buruku, Nàná Bukùú, Nàná Brukung ou apenas Brukung (nome sob o qual é cultuada na parte oeste daquela região). Alguns especialistas sustentam que o culto desta aiabá iniciou-se em Savê, o que é contestado pela fragilidade das provas. O que é certo é que em Savê houve a disseminação do culto a Nanã, cujo nome, do original Nàná, é por si só um termo de deferência utilizado, na região de Ashanti, para as pessoas idosas e respeitáveis. O mesmo termo, Nàná, quer dizer simplesmente mãe para os fon, os ewe e os guang da atual Gana.

Ao que tudo indica, o culto a Nanã Burukú é o mais forte no ocidente africano, na acepção de ser o mais difundido, apesar de haver registros de cultos

· **NANÃ** ·

a outras divindades primordiais semelhantes, que levam o prefixo de Nàná, ou Nèné, antes do outro nome, que é o principal. É difícil precisar-se com acerto quais são os laços comuns entre todas as divindades existentes na África ocidental cujo nome é precedido de Nàná ou Nèné. Tais divindades são denominadas de "Inie" e são divindades supremas. Todos os templos que cultuam esses orixás femininos têm uma característica em comum: a existência de um assentamento do orixá no qual há a prevalência da cor vermelha. Os iniciados ligados à casa portam uma espécie de bengala salpicada de ossum (o pó vermelho vegetal repleto de axé), trazendo, no pescoço, um colar confeccionado com palha-da-costa trançada, no qual se destaca uma conta verde, de forma achatada.

Em Cuba há registro do culto a Nanã Burukú, sincretizada com Nossa Senhora do Carmo ou Santa Teresa de Ávila. Nesse país, a aiabá é considerada o mais antigo orixá aquático, não das águas vivas

· **NANÃ** ·

(mares, rios etc.) mas das águas paradas dos lagos e lamacentas dos pântanos.

No Brasil, especificamente nos velhos templos de origem iorubá, o orixá denominado Nanã divide-se em várias qualidades, sendo as mais conhecidas Nan Buùkú, ou Nanã Burucu, a senhora da morte e da lama, e Iá Baim, a senhora das águas paradas (orixá que tem uma grande afinidade com Oxum), dentre muitas outras qualidades menos conhecidas. Vale dizer: em nossa religião nascida na diáspora brasileira, o nome do orixá é Nanã e não, como pretendem alguns autores, Nanã Burukú – a menos que se queira referir a um determinado orixá específico da família de Nanã.

3 | NANÃ É PODEROSA E INDEPENDENTE

É necessário que se fale da natureza de Oxalá e Odudua para que se possa compreender a relação de Nanã com Iemanjá — e vice-versa — no que diz respeito à vida e à morte no planeta.

AS ESPOSAS DE OXALÁ

Contam os itãs de algumas regiões da chamada Iorubalândia, que Oxalá e Odudua são inseparáveis porque fazem parte da mesma cabaça-mundo, dividida em duas metades – apesar de a convivência dos dois sempre ter deixado muito a desejar... A relação Obatalá-Odudua é muito sutil. Um não existe sem o outro; um completa o outro. A síntese dos dois deu vida aos orixás-filhos (os eborás) e, para alguns especialistas, todos os filhos de Obatalá são necessariamente descendentes de Odudua.

Há uma grande polêmica a respeito do gênero mitológico de Odudua que, para alguns doutrinadores e religiosos (os quais se baseiam nos mitos encontrados em regiões iorubás específicas), é uma expressão do próprio Oxalá. Para outros, que bebem de outras fontes, Odudua é o príncipio feminino por excelência: a grande mãe da criação, representada pela figura de uma mulher cega, que percebe pela sensibilidade; uma senhora bastante temperamental e poderosa, que aprecia imensamente o próprio poder.

Tenho seguido esta segunda corrente, o que ficou claro em Iroco, Euá e Obá. Contudo, mesmo

· NANÃ ·

que admitamos a natureza feminina de Odudua e a sua personalidade forte e independente, em eterna competição com Obatalá, podemos afirmar, sem hesitação, que Oxalá (Obatalá) e Odudua são dois em um: fazem parte da mesma cabaça inseparável. Ela foi a responsável pela criação do universo; ele foi o responsável pela criação da vida. Ela é a senhora do princípio feminino; ele, que é o senhor do princípio masculino, também detém uma parte ideal do princípio feminino. Não é por acaso que em nossa tradição afro-brasileira Oxalá, manifestado em seus sacerdotes e sacerdotisas, veste saia – tal qual as aiabás –, cobre o rosto com muitos colares de contas, reunidos de forma ordenada – o "chorão" ou "filá" –, alimenta-se das carnes de animais femininos – cabras, pombas, galinhas – e, além do opaxorô, sua ferramenta (que tem como finalidade a separação entre orum e aiê), no Ilê Axé Opô Afonjá usa um abebé (leque) prateado ou branco, o que ocorre com Iemanjá na maioria das Casas tradicionais. O abebé é a ferramenta litúrgica característica das divindades

· **NANÃ** ·

femininas ligadas à água, a fonte primordial de vida no aiê. Oxalá é o pai da vida; nada mais natural que também porte o referido leque, mas sem o espelho presente nos abebés de Iemanjá e Oxum (que usa o abebé na cor dourada ou na cor amarela).

Na tradição afro-brasileira, Nanã e Iemanjá são as esposas de Oxalá, por excelência, e suas filhas desempenham um papel primordial no culto desse orixá. Segundo uma corrente, essas duas aiabás são também comborças (concubinas) de Odudua, segundo nos contam os mitos recolhidos de fontes as mais variadas – o que às vezes pode causar uma certa confusão para o leitor que, ao cabo da leitura, chegará a um denominador comum e traçará por conta própria o perfil do orixá estudado.

Contudo, mitos recolhidos em algumas regiões do oeste africano confundem Nanã e Odudua. É atribuída a Nanã a condição de senhora da terra, local onde chegara antes de Obatalá, e também lhe são atribuídas as características de Odudua. Nanã chega a assumir o papel desta na metade da cabaça que lhe

· NANÃ ·

pertence, respondendo pela condição de senhora do princípio feminino. Tal qual Mawú dos fon, os povos cultuam o casal divino Mawú-Olissá, respectivamente Nanã e Obatalá. Há mesmo quem afirme que Mawú esteja muito mais para Nanã do que para Odudua, sendo a mesma pessoa divina. Para Marcelo Dornellas, filho de Erinlé do Opô Afonjá, um pensador que promete – a quem agradecemos por muitas pesquisas realizadas com afinco e precisão –, Nanã é a responsável pela terra lamacenta, ao passo que Odudua responde pela terra firme. Trata-se de uma tese fascinante.

Superados os aspectos polêmicos sobre a natureza divina de Odudua, partindo-se do pressuposto de que Obatalá e Odudua não se separam, formando um dualismo sagrado, podemos então afirmar que Nanã e Iemanjá, como genitoras de alguns filhos deste senhor da vida no aiê, também são inseparáveis. É importante entendermos Iemanjá para que possamos compreender Nanã. Iemanjá – Ìyáomojá, a mãe cujos filhos são peixes –, a outra esposa de

• NANÃ •

Oxalá, ao lado de Nanã, é a mãe de todos os filhos do aiê. É o útero da criação, aquela que dá à luz, tem orgulho de parir e de possuir grandes seios cheios de leite cuja finalidade é saciar a fome da prole. É aquela que acalenta a cria e a protege com a própria vida.

Iemanjá é a senhora de todas as águas do universo. Oxum, a senhora das águas doces e da beleza, a protetora dos nascituros e das gestantes, nasceu dela. Talvez pelo tamanho dos oceanos e por estes serem fonte primeira de vida, Iemanjá tenha sido considerada, no Novo Mundo, especificamente a rainha do mar – o que não lhe retira a condição de Iyá olomi –, senhora de todas as águas, por excelência. Sua saudação, Odô Iá, ou apenas Odô, quer dizer "mãe do rio", ou na segunda versão, apenas "rio": a grande mãe d'água, senhora do rio Ogum, na Nigéria, cujo orixá dos oceanos é Olokun, "a divindade das profundezas".

Se retomarmos a leitura do livro do Gênesis, veremos que, para a tradição religiosa judaico-cristã,

· NANÃ ·

as águas e a terra também são o princípio da criação (Gênesis 1:1-3) e que a vida foi parida pelas águas: "Que as águas pululem de enxames de seres vivos..." (Gênesis 1:20). Todos os filhos de Iemanjá, conhecida simplesmente por Iá (mãe, em iorubá, do original "ìyá") são igualmente ninados, alimentados e assumidos em igualdade de condições, mesmo que outro útero os tenha dado à luz. Iemanjá é a genitora de Exu, Ogum, Oxóssi, Xangô e Oxum. Criou Obaluaiê, filho de Nanã, e Logunedé, o rebento de Erinlé e Oxum.

Nanã, a outra esposa do senhor da vida, na condição de grande deusa da lama, dos manguezais e dos abismos, é a senhora das águas turvas e também dos poços de qualquer espécie: das meras poças de água barrenta, provocadas pelas chuvas, até as fontes (cacimbas) de água potável – um dos atributos de Euá, que foi transformada em fonte de água pura para poder saciar a sede de seus filhos. Nanã é a senhora da ambigüidade que não engana – na condição de padroeira dos pântanos –, o que nem sempre ocorre com as senhoras das águas – Iemanjá e Oxum –, que são "donas" de águas límpidas e transparentes, mas muitas vezes enganadoras. Nanã é a senhora de seres que habitam em seus domínios: os girinos, os sapos, as jias, os caranguejos, guaiamuns, aratús – entes repulsivos aos olhos comuns dos mortais. É considerada Ìyá Nlá – a grande mãe da criação – epíteto dividido com Odudua e Iemanjá – e Ayaba l'arè, a grande rainha da justiça, o que a faz tão poderosa quanto Xangô, o padroeiro da justiça.

Nanã ajuda Obatalá na tarefa de modelar o homem, fornecendo-lhe a matéria prima; Iemanjá, auxiliada por sua filha Oxum, é a responsável pela gestação dos seres e pelo desenvolvimento dos embriões nos úteros de suas mães, levando avante a obra do esposo comum. O que diferencia Nanã de Iemanjá é a relação daquela com a morte. A segunda sempre será a senhora da vida continuada; a primeira, embora propicie a vida, determina a transitoriedade desta no aiê, retirando da criatura a imortalidade.

Não é à toa que Oxalá sempre seja visto de braços dados com as duas esposas. Os três caminham juntos e formam importante equipe: seus misteres se complementam, o que não impede uma certa rivalidade entre as aiabás, principalmente no período das festividades do orixá funfun, durante o qual elas disputam a preferência do divino consorte...

NANÃ E OGUM

Ogum é o senhor dos caminhos por excelência. É conhecido como orixá olodê, condição que divide com o mano Exu e com Omulu, o eterno andarilho, filho mais velho de Nanã. É considerado o orixá inventor, o vanguardeiro, chamado, por isso, de asiwaju e também olulona (senhor dos caminhos).

Conta o mito que Ogum foi o primeiro orixá a descer ao aiê, na comitiva de Odudua, com a missão de abrir todos os caminhos desta vida, construir estradas, pontes e ser o responsável pelo *homo sapiens*, que, a partir da ajuda de Ogum, transformou-se em um ser pensante. Prestam-se muitas homenagens e honrarias a Ogum, porque ele é o senhor do elemento ferro, por ele transformado em aço, o que deu início à era das invenções e dos grandes descobrimentos, modificando, para melhor, a qualidade de vida dos mortais.

Todos os orixás e seres vivos prestam um grande tributo a Ogum, o pioneiro, que adora comer carne de cães selvagens com bastante dendê e pimenta; bebe vinho de palma com delícia; veste-se com a folha das palmeiras (mariô) e não teme nada neste mundo, magnificamente desbravado por sua espada competente.

Sem a permissão de Ogum não são feitos sacrifícios para as demais divindades. Ele divide com Exu a condição de olobé, o senhor da faca, importante ferramenta confeccionada com o ferro, metal de sua propriedade exclusiva. Alguns itãs relatam que o orixá general – que só disputa o primeiro lugar em coragem, ombro a ombro, com Obá, a amazona belicosa, de quem foi o primeiro marido – exigia vassalagem de todos, a quem tratava com um certo

· NANÃ ·

descaso, por ser o senhor dos sacrifícios. Sem sua interferência, nenhum orixá seria alimentado. Como abater o animal sem o auxílio das ferramentas do asiwaju?!

Nanã detesta arrogâncias e teimosia, esta última, o grande defeito de seu esposo Oxalá, que, por ser um velho muito teimoso, avesso a conselhos proféticos, teve de passar sete longos anos de sua vida em uma cadeia na terra de Xangô por absoluto equívoco – destes difíceis de esclarecer de imediato – armado por Exu, o eterno menino inconseqüente.

Nanã tinha de conviver com a teimosia de seu velho, mas já não agüentava mais os ares e a bazófia de Ogum. Um dia resolveu acabar com a fanfarronice do valentão (modo como Ogum é chamado). Era dia de festa em sua homenagem. Os sacerdotes aguardavam do lado de fora do templo, de olho firme na estrada, impacientes com os atrasos cada vez mais costumeiros do senhor dos caminhos, que "não estava nem aí" para os compromissos dos outros. Só

• NANÃ •

poderiam começar o ritual na presença dele. Que esperassem!

Nanã, caladinha (decidida a dar um fim naquele poço de arrogância), convocou o filho Obaluaiê e, sem que revelassem a ninguém o método empregado, juntos tiraram a vida dos animais oferecidos.

Os sacerdotes quase desfaleceram ao verem os animais lançados sem vida para fora da tenda sagrada (o que só se faz com a autorização do valentão), ao som de uma cantiga que dizia:

Olu pama bereilê...
Olú pama bereilê...

Quando Ogum chegou, ficou furioso ao reconhecer que tinham dado conta do recado sem sua presença. Procurou Nanã exigindo uma explicação e recebeu como resposta a declaração formal de que no reino dela, a partir daquele dia, jamais entrariam objetos cortantes feitos de ferro, elemento proibido e reduzido à condição de euó: facas, tesouras, navalhas etc. Ela possuía um método muito melhor de abater os bichos necessários para a sua própria alimentação e para a de sua família.

Ogum deixou a cidade furibundo, jurando vingança. Contam os sábios que, a partir daquele dia, ele inventou o relógio e transformou-se em um orixá pontualíssimo, que detesta atrasar-se ou (pior) ser vítima de atrasos alheios. Dizem que perdeu metade da arrogância; quem sabe, um pouquinho temeroso de que outros orixás descobrissem o método utilizado pela família da poderosa Nanã e também passassem a cantar *olú pama bereilê*...

Esta condição de senhora das "matanças sem o uso da faca" reforçou o poder de Nanã.

4 | NANÃ NOS TERREIROS

NANÃ NAS VÁRIAS NAÇÕES

Conforme ressaltei no princípio deste trabalho, Nanã é um orixá iorubá que atravessa nações e que, segundo uma vertente mitológica do povo fon, os adoradores dos voduns, ela recebe o nome de Mavú, o princípio feminino do mundo, cujo oposto complementar é Olissá, ou Lissá, o correspondente a Obatalá dos iorubá. Foi dito que não se sabe exatamente a origem do culto desta senhora dos primórdios, embora Savê tenha originado sua disseminação. Diga-se que, mesmo nos terreiros queto, Nanã é classificada como um orixá "da família de jeje".

Seja como for, sob o nome que responder, uma coisa é certa: em todas as nações a referida divindade conserva características semelhantes, sendo a aiabá dos primórdios. Também é de se notar o fato de que em todas as nações é usada para a divindade a mesma saudação – Salubá!

O jeje-mahi cultua Nanã sob as mesmas características da aiabá iorubá: divindade velha, poderosa, mãe de Xapanã (grande Obaluaiê) etc. No jeje do Maranhão, o mina-jeje, Nanã é um vodum feminino nagô que, embora pertença à família de Davice, "chega na linha de Quevioçô" (a família dos voduns estrangeiros), cujos membros, exceto Averequete, são mudos "para que não revelem o segredo da nação". Averequete tem o poder de fala e é o intermediário entre os "sem fala" e os voduns da terra mina-jeje.

NANÃ

Nanã é classificada como o vodum mais velho da família nagô, é adorada no Querebetã de Zomadônu desde sua fundação, onde também é conhecida pelos nomes de Nanambiocô, Nanã Burucu, Nanã Borocô e Nanã Borotu. É considerada a protetora dos sonhos; é uma grande divindade da água cultuada na festa de Santa Bárbara, dedicada a Sobô (vodum principal da família de Quevioçô, identificado com a Oiá-Iansã dos iorubás, embora no jêeje-mahi, seja um vodum masculino da família de Badé, "um Xangô jeje"; é a divindade responsável pelo poder feminino). Pelo que foi dito, conclui-se que, também para os minas, Nanã é uma divindade de duas nações.

O antropólogo Sérgio Ferretti ressalta que, segundo Euclides, um sacerdote maranhense, Nanã é identificada com Afru-Fru, a terra molhada de lama. Ferretti cita Nunes Pereira (o primeiro pesquisador a apresentar um trabalho sistematizado, no ano de 1947, sobre o Querebetã de Zomadônu; sua mãe era uma vodunci da comunidade), que afirma que Afru-Fru não é um vodum conhecido na Casa das

• NANÃ •

Minas na atualidade (diga-se que a referida obra foi escrita há mais de cinqüenta anos). Afru-Fru seria um vodum feminino velho "ao lado de Nambioco" e outras divindades anciãs. O referido sacerdote, Euclides, também doutrina que perante a nação tapa Nanã é Vó Missã, sendo a mesma Mavú-Lissá dos jejes.

Na Casa das Minas existe o culto a um vodum feminino chamado Naé, da família de Davice, que é chamada de Senhora Velha, ou Sinhá Velha. É a mãe de todos os voduns — a divindade feminina maior —; ancestral da família real do antigo Daomé. Lembre-se que os mina-jeje cultuam a família real do Abomey, divinizada na forma de voduns da realeza. Segundo alguns pesquisadores e religiosos, Naé e Vó Missã são a mesma divindade. Nan Agotimé, ou Agotimé, é um vodum feminino importante da família real: a esposa do rei Agonglo, do Daomé, e mãe do rei Ghezo. O festejado fotógrafo Pierre Verger, grande ponte entre a África ocidental e a Bahia, considerava Nan Agotimé a fundadora do Querebetã; supostamente, uma senhora chamada Maria Jesuína, levada para São Luís na condição de escrava.

Mameto Zumbá corresponde ao orixá estudado na nação congo-angola. A referida divindade usa as mesmas cores de Nanã, veste as mesmas roupas, come as mesmas comidas à base de grãos, usa brajás e colares de contas idênticas e (fundamental) dança apoiada no ibiri, o irmão gêmeo mítico da senhora dos primórdios que, nos terreiros angola, também é a senhora da lama e das águas paradas e é igualmente saudada com Salubá!

Apesar de as danças de Zumbá serem executadas nos ritmos específicos do angola (por exemplo, congo e cabula, também conhecido por angola-monjola), a coreografia é bastante semelhante à dos terreiros queto. Zumbá dança abaixada, aos moldes de uma velha senhora. A semelhança é enorme. Não conheço diferença.

Ressalte-se que as cantigas em louvor a Mameto Zumbá, referem-se a Nanã, com o emprego de palavras em língua iorubá. Como exemplo, vejamos trechos de três cânticos em diferentes ritmos: barra-vento, angola-monjola e congo.

Nanã ocuabó aperê ô (barra-vento)

Nanã Burukú o que pembê ai, ai, olerê... (angola-monjola)

Nanã quejá ossi, alodê (congo)

Observe-se que ialodê (*iyálóode*) é um título atribuído a mulheres detentoras de cargos políticos de chefia (equivale a "prefeita"). Tudo nos faz afirmar que Zumbá seja o nome banto de Nanã: um orixá cultuado como inquice, que conserva, na totalidade, as características de orixá.

A COMIDA DE NANÃ

Nanã é a senhora do equilíbrio, da sabedoria, do conhecimento, da experiência. Quando as pessoas querem ter discernimento, pedem a Nanã que lhes clareie as mentes. E esta senhora aprecia a boa mesa, onde se deve chegar sem pressa e comer degustando.

Suas comidas são sóbrias, simples, discretas e deliciosas! Nanã aprecia os grãos, os alimentos moles, próprios das pessoas mais velhas. Mas tudo deve ser feito com arte e bom gosto, de estalar a língua.

A comida de Nanã varia de acordo com as nações e também de casa para casa de orixá. Uma mistura que ela adora é feijão-fradinho cozido, milho branco cozido e feijão-preto cozido refogados com dendê e temperados com cebolas raladas ou passadas no liqüidificador, acrescidos de camarão seco triturado. Em alguns templos, gosta de comer milho branco enfeitado com coco ralado e, ainda, pirão de batata doce – um dos pratos prediletos de Euá, a senhora das belas-artes. Aprecia também (e come com delícia) uma iguaria denominada latipá, preparada com folhas inteiras de mostarda refogadas com camarão seco triturado e cebolas. Gosta muito de arroz branco solto, temperado com camarão pilado e enfeitado com camarões secos. Não dispensa o boróboró, um pirão cozido de farinha de mandioca e dendê, que deve ficar no formato de uma meia circunferência bem cheinha.

Das comidas de Nanã, umas das mais elaboradas é o aberém, tanto o branco como o vermelho – aquele que contém epô (o azeite de dendê). Não me é dado discorrer acerca desta iguaria, pois seu preparo implica uma série de rituais; ressalto apenas (dirigindo-me aos iniciados) que Nanã come 16 aberéns e que a pessoa responsável por prepará-los e amarrá-los é quem deverá desfazer, afinal, o próprio serviço.

Nanã aprecia pratos de barro e boa louça, tudo bem arrumado e enfeitado com muitas folhas. Das festividades dedicadas à divindade dos primórdios, nenhuma é comparada à mesa de Nanã do Gantois – a Casa das saudosas Mãe Pulquéria, Mãe Menininha e Mãe Cleuza, esta uma autêntica filha de Nanã. Esta oferenda vem de Abeokutá, Nigéria, e só é realizada no dia 26 de julho de cada ano, na mencionada comunidade religiosa no bairro soteropolitano da Federação.

• NANÃ •

Os omorixás oferecem a Nanã as iguarias de que mais gostam, não importa a origem do alimento: desde pratos de acarajés e abarás até estrogonofe, *chop-suey* e frango caipira... As comidas são levadas para o barracão das festas, sobre as cabeças das sacerdotisas dos diferentes orixás. À medida que estes chegam sobre suas filhas, as guloseimas são colocadas sobre uma mesa e, logo após, transferidas para o ilê orixá (casa de orixá, do original "ilé òrisa"), onde são depositadas ao pé do assentamento de Nanã. Só serão partilhadas posteriormente.

No dia da festa, outras iguarias são oferecidas aos participantes. O que vale a pena registrar é que, entre os vários tipos de alimentos, sempre é oferecido (em uma travessa grande) um enorme peixe assado. Esta comida de tanta tradição em Abeokutá, onde Nanã Burukú tem um forte culto, é exibida no barracão de festas na frente da ialorixá ou de alta dignitária do terreiro.

A senhora dos primórdios gosta de dendê, mel de abelhas e de obis – principalmente de cor clara. Aprecia a carne de cabras, galinhas, conquéns e patas, tem ódio mortal de carneiros... Há tradições antigas que oferecem ovelhas de chifres duplos, perfeitas, a uma determinada qualidade de Nanã. Em alguns terreiros tradicionais, os bichos de pena ofertados a esta aiabá deverão ser servidos inteiros e não aos pedaços, o que também acontece com as aves oferecidas a Oxumarê e a uma qualidade de Iemanjá (da nação grunci), cultuada no candomblé de São Gonçalo.

AS CORES DE NANÃ

Essa aiabá aprecia suas vestes confeccionadas com tecidos de cores claras, puxadas para os matizes do lilás. Também usa azul claro e, em algumas comunidades, branco entremeado de azul escuro. Seus colares são de contas lilás rajadas de branco, o que nos recorda seu caráter ambíguo de co-partícipe da criação da vida e propiciadora da morte. Nanã é a senhora do lilás, sua cor preferida: uma mistura de azul marinho e

· NANÃ ·

branco, com uma pitada de vermelho, uma combinação equilibrada de todos os vetores do sagrado.

Não poderia ser diferente. Esta divindade antiqüíssima pertence à categoria dos orixás genitores, o que a encaixa perfeitamente no elemento branco, ao lado de Oxalá, Odudua e Iemanjá. Porém, Nanã é um orixá feminino solitário, contido, introspectivo, uma aiabá eternamente envolvida com o movimento de juntar barro para a modelagem dos seres, o que a conecta ao preto, cor do grupo dos orixás ligados às profundezas, ao qual pertence o azul. A pitada de vermelho – que faz parte da mistura dos matizes de branco e azul – para obter-se o lilás, confirma a condição de Nanã como uma divindade dos primórdios, também ligada à terra. Não é por acaso que é a mãe de Obaluaiê, o senhor da terra.

ROUPAS E ADEREÇOS DE NANÃ

As roupas de Nanã confirmam sua realeza de senhora da criação. A exemplo dos outros orixás femininos, Nanã veste uma saia longa, que deverá ter de cinco a seis metros de largura. A senhora dos primórdios não gosta de muitas anáguas de goma. Prefere suas saias com pouca roda – mais uma característica do jeje, da terra de Dambala, a serpente divina, na qual as voduncis vestem saia com "pouca roda".

Não sou adepta de roupas dispendiosas, feitas de tecidos caríssimos. Vestes bonitas, bem arranjadas não querem dizer, necessariamente, roupas caras. Nem todos os membros da comunidade no terreiro têm condição de adquirir material dispendioso para a elaboração de seus trajes festivos. Devemos demonstrar solidariedade aos menos favorecidos em questões materiais, abstendo-nos de exageros. A sobriedade é condição necessária para a confecção das vestes de Nanã, tendo em vista sua condição de senhora do equilíbrio.

A vestimenta poderá variar de comunidade para comunidade. No Ilê Axé Opô Afonjá, Nanã não veste camisu (uma peça do vestuário feminino enfeitada com um bico de renda, denominada "camisa de crioula"). Ela segue os costumes da nação jeje, terra na qual os voduns não adotam o uso do camisu, o que também ocorre com os inquices angoleiros, embora haja comunidades religiosas queto nas quais Oiá e Euá também não usam camisu.

Nanã usa um pano-da-costa arredondado sobre os seios protegidos pelo "atacã", uma faixa larga de morim, sustentada por quatro tiras. Sobre o pano-da-costa é amarrado um ojá (tira de pano comprida enfeitada) em forma de laço amarrado na frente do corpo.

Nanã usa um adê (coroa) confeccionado com palha-da-costa, enfeitado com muitos búzios – o que também é um costume dos voduns, cujas roupas são costuradas com muita palha-da-costa e cauris. Oxumarê, o filho de Nanã que, segundo um mito, roubou a coroa da mãe, usurpando-lhe o poder, divide com ela a abundância dos cauris em suas vestimentas. Obaluaiê e Euá gostam muito de búzios em

· NANÃ ·

suas ferramentas e roupas. Esta fartura de búzios demonstra a profunda relação de Nanã com seus descendentes, com a fertilidade e a riqueza: os búzios eram utilizados pelos africanos como moeda; quanto maior a quantidade de búzios, maior o poder material.

Nanã é distinguida pelo uso de dois grandes colares compostos de fileiras de búzios enfiados dois a dois, em pares opostos, chamados de brajás. São usados a tiracolo, cruzando-se no peito e nas costas. Simbolizam a realeza, a maternidade, o poder e a fertilidade. Em virtude da grande quantidade de cauris que usa, Nanã recebe o nome de olówó se-i se-in, ou seja, senhora possuidora dos búzios, na acepção de senhora detentora da riqueza.

A ferramenta de Nanã é o particularíssimo ibiri, trazido por suas sacerdotisas na mão direita. É a representação mais importante desta aiabá. Ibiri (ibírí) significa: "meu descendente o encontrou e o trouxe de volta". Segundo a mitologia, o ibiri nasceu

· **NANÃ** ·

---

junto com Nanã, na mesma placenta. Na hora do nascimento, uma das extremidades do ibiri enrolou-se, por encanto, cobrindo-se de búzios, missangas, contas e outros enfeites, sendo colocado no chão, ao lado de Nanã. Podemos afirmar que o ibiri representa o duplo de Nanã; seu mabaço (gêmeo) poderoso, fonte de axé.

A referida ferramenta, semelhante a um cajado, é constituída por um atado de nervuras de palmeira enfeitado de búzios e vários tipos de contas, reunidos por intermédio de uma tira de couro. Esse cajado se parece com uma grande clave-de-sol invertida, sem a parte voltada para baixo. É semelhante ao òpá (metálico) de Keviossô, um vodum jeje do Daomé, cultuado pelos minas. As contas que enfeitam o ibiri são as pertencentes a Nanã e há também outras, nas cores azul-marinho, amarelo e vermelho.

Somente um sacerdote altamente qualificado poderá confeccionar o ibiri, um objeto sagrado que contém elementos dos três grupos anteriormente referidos. O preparo exige uma série de abstinências e preceitos especiais. Mestre Didi, Deoscóredes Maximiliano dos Santos, Alapini do culto lesse egum, fundador do Ilé Aşę́ Asipá, responde pelo alto título religioso de Assobá do Ilê Axé Opô Afonjá, o principal sacerdote do culto de Omulu e, por excelência, de Nanã. É um dos maiores mestres reconhecidos, de todos os tempos, no preparo de ibiris. O finado babalorixá Moacyr de Ogum foi o discípulo dileto de Mestre Didi tanto no preparo dessa ferramenta consagrada quanto em outras "coisas de axé".

A DANÇA DE NANÃ

Na nação queto, a dança de Nanã evoca o que ela representa: água parada, lama, maternidade, ancestralidade, senilidade, colheita, feminilidade. A dança é sóbria, plena de movimentos lentos e compassados, recordando-nos as águas estagnadas e a senio-

• NANÃ •

ridade da senhora das origens. Nanã baila curvada sobre o ibiri, carrega-o com ambas as mãos a imitar o movimento de alguém que pila grãos ou nina um bebê.

Entretanto, apesar de a maior parte das danças desta aiabá serem calmas, há ocasiões em que a velha senhora baila de forma guerreira, altiva. Isto se dá, por exemplo, quando dança o avania, também chamado de arramunha e vramunha, o conjunto de 17 passos coreográficos dedicados a Iroco–Loco, que relata as aventuras da árvore-orixá.

O AVANIA

O avania é um dos ritmos mais compassados e belos que caracterizam a nação de Dã, a serpente, e que se resume na seqüência de passos coreográficos descrita a seguir.

A dança começa com gestos compassados de marcha, querendo dizer: "Estou chegando!".

· NANÃ ·

O orixá faz movimentos de braços abertos, para ambos os lados, alternadamente, dizendo: "Cheguei!".

O orixá bate palmas, para o lado direito e para o esquerdo, querendo dizer: "Cheguei na casa e peço licença".

O orixá encosta o dedo indicador direito na boca, o que significa: "Vou contar minhas aventuras".

O orixá coloca o dedo indicador direito no olho esquerdo e, depois, o esquerdo no olho direito, querendo dizer: "Tudo o que vi com o olho direito; Tudo o que vi com o olho esquerdo".

O orixá põe o dedo indicador direito na narina esquerda e depois o esquerdo na narina direita, dizendo: "O que cheirei no mundo".

O orixá põe o dedo direito no ouvido esquerdo e o esquerdo no ouvido direito, significando: "O que ouvi no mundo".

O orixá aponta para o coração, com o indicador direito, querendo dizer: "Os amores que tive".

O orixá estende as palmas das mãos para a frente e, depois, mostra a frente das mãos, em gestos enérgicos, indo para o lado oposto e retornando, como quem diz: "Cruzei o mundo de norte a sul".

O orixá faz o mesmo movimento, em sentido diagonal, significando: "Cruzei de leste a oeste".

O orixá faz o mesmo movimento, para o lado esquerdo, indicando: "Cruzei todos os lados do mundo, sem exceção".

O orixá faz o mesmo movimento, para o lado direito, representando: "Cruzei todos os lados do mundo, sem exceção".

O orixá faz gestos de cortar com uma espada, significando: "Participei das guerras do mundo".

O orixá marca o ritmo com o pé esquerdo, jogando a mão direita fechada para o lado esquerdo e a esquerda para o lado direito, como quem diz: "Eu me transformo em árvore e me planto no chão".

O orixá bate na terra, com a mão direita no lado esquerdo e com a esquerda no lado direito, significando: "Este foi o chão que escolhi para ficar".

O orixá repete o mesmo passo de marcha do início, fazendo sua despedida.

· NANÃ ·

OUTRAS DANÇAS

Nanã executa com esmero alguns passos litúrgicos da nação jeje: o modubi, o bravum e o sató (um de seus prediletos), sendo acompanhada por todos os seus filhos, os membros da família pacatinha.

Na dança do bravum, ritmo dedicado a Bessém, o Oxumarê dos iorubás, filho caçula de Nanã, os braços se movimentam juntos para os lados esquerdo e direito, na altura das coxas. Os pés, de lado, juntam-se e separam-se harmonicamente com os braços.

Esfregam-se as mãos uma na outra, como quem está querendo aquecê-las, dando-se um passo para a frente; logo após, faz-se um movimento giratório, com o corpo mais abaixado.

O orixá bate o indicador da mão esquerda na mão direita meio aberta; depois bate o indicador da mão direita na mão esquerda meio aberta. Ele cruza o indicador esquerdo com o direito e vice-versa depois coloca o dedo indicador esquerdo no olho direito e o dedo indicador direito no olho esquerdo. A mão esquerda, estendida de lado, é colocada na testa e a mão direita, estendida de lado, também vai na testa.

Depois o orixá coloca a mão direita no ombro esquerdo e vice-versa; deixa os braços cruzados nesta posição (rapidamente). A mão direita se agita no ar, em movimento semelhante àquele de quem está jogando "bola ao cesto": antes de arremessar a bola, rebate-a no chão. O mesmo movimento é repetido com a mão esquerda. Ao fim o orixá dá um tapa no chão com a mão direita e dá outro tapa no chão com a mão esquerda".

A seqüência descrita pode variar de terreiro para terreiro. Há quem dance o primeiro passo do bravum da seguinte forma: o dedo indicador direito é levantado para cima e para baixo, como quem está mostrando algo no céu e algo na terra.

Há danças do toque bravum de movimentos abreviados: do primeiro passo descrito na seqüência, alguns passam a dançar "quebrado" para os lados, com movimentos harmônicos dos braços e de todo o tórax.

O dássia (ou modubi) é um toque jeje no qual os braços e as mãos são esticados para os dois lados; a seguir o bailarino pára e junta as mãos, como quem está preparando o próximo passo, e retoma a dança com movimentos de ombros e braços mais rápidos, para a frente, ao som do canto:

Tina, tina rina, Bessen na dê mauila.

Nanã gosta muito do sató, um ritmo alegre e festivo. Nele as mãos ficam juntas, de punhos fechados (como se segurassem um pilão) em frente à barriga. Os movimentos são para o alto, de forma varonil (cabeça erguida), e para baixo. Finalmente, o braço direito, com o punho cerrado, é jogado para o lado esquerdo e vice-versa, girando voltas em torno do corpo, retomando a coreografia inicial.

Nanã costuma acompanhar seu filho Obaluaiê na dança do opanijé, que é o toque característico desse orixá tão poderoso.

AS FILHAS DE NANÃ

O arquétipo das filhas de Nanã é o daquelas pessoas que agem com calma, dignidade, gentileza, segurança e majestade, guardando, sempre, um impressionante senso de justiça. As filhas de Nanã apresentam algumas características de personalidade que ressaltamos para a aiabá. A principal é a enorme capacidade para o trabalho pesado. São superlaboriosas e gostam de que os outros reconheçam esta sua qualidade. Nunca vimos gente para trabalhar tão duro, de forma incansável quanto as nanâncis – nome pelo qual são chamadas nas comunidades religiosas, onde têm o apelido de Vovó, Velha e Véia. Trabalham com afinco, mas vibram quando desempenham a maior parte das tarefas sozinhas. Isto é um motivo (glorioso) para que possam sentir-se indispensáveis e extremamente úteis, tendo muito o que falar.

Alguns dizem que as filhas de Nanã são lentas no cumprimento de seus afazeres. Pensamos o contrário: as filhas de Nanã são rapidíssimas no

· NANÃ ·

desempenho de seus misteres, salvo se estiverem pirraçando alguém, o que às vezes ocorre, porque têm um quê de ranzinzas, uma certa tendência ao calundú; coisa de pessoas idosas, principalmente quando implicam com alguém. Saia de baixo da implicância do povo de Nanã! É motivo para a escrita de um tratado de muitas laudas. As nanâncis são dadas ao murmúrio e a falarem sozinhas, bem baixinho. Costumam ser divertidas, ferinas, dramáticas ao extremo, contadoras de anedotas, amantes de festas e de danças, mas um pouco masoquistas, hipocondríacas e manhosas. São apreciadoras de bons vinhos (que bebem com controle), de ambientes públicos, de pantomimas e de... xiliques!

São ciumentíssimas, condição que detestam que transpareça! Por ciúme, uma filha de Nanã fica sem falar com alguém pelo resto da vida. Apesar de serem solidárias ao extremo e bastante generosas, as nanâncis são pessoas que, em geral, não têm muita facilidade de perdoar os defeitos alheios ou as supostas ofensas. São rancorosíssimas e choronas!

NANÃ

Quem lhes aprontar alguma que se cuide! Raramente os pedidos de perdão serão aceitos.

As filhas de Nanã são desconfiadas e gostam de remoer as adversidades. Os elogios causam-lhes reações ambíguas... Fogem a léguas do ridículo e do escândalo público, mas não têm medo de briga. São capazes de ir até as últimas conseqüências. Detestam que invadam sua privacidade, que metam o bedelho em suas vidas, apesar de terem uma certa tendência a botarem os narizes na vida alheia sem convite nem solicitação... Gostam de exercer o papel de conselheiras e de protetoras, característica que levam para o matrimônio. As esposas de Nanã exercem a condição de protetoras dos maridos – custe o que custar, mesmo à base de muita imaginação e uma certa dramaticidade! Quando gostam do cônjuge, são excelentes companheiras. Enfrentam qualquer adversidade com garra e determinação, atingindo facilmente seu objetivo.

As nanâncis são ótimas educadoras, dotadas de paciência e praticidade. Em geral gostam de crianças e de pessoas idosas. Quando avós, tratam os netos com extrema doçura e mansidão, o que geralmente não acontece com os próprios rebentos. São mães autoritárias, controladoras e exigentes. Não se importam de pagar a conta, contanto que exerçam a chefia familiar.

As mulheres de Nanã geralmente são belas, elegantes, refinadas, sensuais, apaixonadas e superfemininas. Detestam vulgaridade de qualquer tipo. Suas roupas são discretas, bem cortadas e de bom gosto. Apreciam cores claras, mas gostam da cor preta, do cinza e do azul marinho.

5 | NANÃ E SEUS FILHOS: A FAMÍLIA PACATINHA

Em um livro sobre Nanã, é importante que nos detenhamos um pouco na figura de seus filhos, que são oku orun, seus descendentes. Nanã, contém, dentro de si, a terra (Obaluaiê) e a água (Oxumarê e, em alguns mitos, Euá e Obá). A terra associada à água gera a lama: o elemento da senhora dos primórdios.

Ebame Cidália de Iroco, uma das personalidades mais ilustres do universo afro-brasileiro – ao tempo destes escritos com 70 anos de iniciada –, contou,

NANÃ

divertida, que no Gantois Nanã e seus rebentos são chamados de a família pacatinha – conforme foi registrado em outros volumes desta mesma coleção.

Alguns leitores pensarão que isso ocorre pelo fato de os ilustres membros desta família serem plácidos, dóceis, silenciosos e equilibrados. Ledo engano! Omulu, Oxumarê, Ossâim, Iroco, Obá e Euá são chamados de "pacatinhos" porque Omulu, o chefe da família, impõe que tudo seja falado no sentido contrário. Se alguém quiser dizer está quente, diga está frio. A menos que pretenda ser mal interpretado pelo grande chefe olodê (o senhor dos caminhos de terra vermelha).

Os membros da família pacatinha são turbulentos, guerreiros, justos e briguentos: não levam desaforo para casa. Nanã botou no mundo uma prole robusta, bonita e valentona. Quem quiser que bula com um membro da família pacatinha! Todos se unem para revidar a ofensa! Contam os sabidos que Oxalá evita maiores contatos com esses filhos poderosos quando estão resolvendo alguma pendenga entre eles.

NANÃ

Há aspectos que unem os pacatinhos. Todos gostam de epô, adoram ossum, perfumes e cores fortes. São apaixonados, dotados, sensíveis e vanguardeiros; são glutões, generosos e mal-humorados.

No Axé Opô Afonjá os orixás da família de Omulu têm um espaço próprio de culto por serem considerados da nação jeje. Seus filhos são iniciados nesse espaço, chamado de "casa de Babá", uma referência a Babaluaiê, um dos epítetos de Omulu, também conhecido por Obaluaiê, Xapanã, Sapatá, Ajunsun, Arauê e muitos outros nomes. Na Casa Branca ele tem o apelido de Tio, criado por Mãe Nitinha; seu espaço sagrado se chama "Casa do Tio".

NANÃ E OBALUAIÊ

Omulu é o chefe do clã, o senhor dos espíritos da terra, ou seja, da própria terra. Ele é a terra por excelência. É o protetor dos peregrinos e andarilhos. Na natureza, Omulu é reverenciado nos caminhos

· NANÃ ·

de terra, necrópoles e estradas de barro vermelho. Sua saudação, atotô, quer dizer: calma!

Nanã e Omulu são inseparáveis. São almas gêmeas. Vimos que em alguns lugares da África ambos são a mesma divindade. Além de mãe e filho, são irmãos, representados por instrumentos semelhantes. O xaxará (şaşarà) de Obaluaiê é uma espécie de cajado parecido com o ibiri de Nanã, do qual descende por excelência. Assim como o ibiri, o xaxará é um bastão constituído por um atado de nervuras de palmeira amarrado com tira de couro, adornado com contas e caurís. É o símbolo de seu poder genitor. Os preceitos observados para a feitura do ibiri são os mesmos necessários para se fazer o xaxará.

A relação de Nanã com Obaluaiê não é simples. Os mitos falam que ela o rejeitou por conta de sua feiura, expulsando-o das próprias águas estagnadas. Foi acolhido e criado por Iemanjá, senhora das águas que dão seguimento à vida.

• NANÃ •

A maternidade de Nanã é atípica. Ela pare os filhos de diferentes naturezas para a vida mas não os retém em vida. Retoma-os depois da morte. Omulu é a terra que, para germinar, precisa ser irrigada pelas águas vivas de Iemanjá; fonte de vida. Esta outra senhora dos inícios é a mãe de criação de que Omulu necessitava. Nanã expulsou o filho para que lutasse pela vida. Só os fortes conseguem viver e adquirir sabedoria, entender além das aparências.

Obaluaiê – epíteto que recebe, na condição de rei da terra – é considerado o filho contido por Nanã. Omulu complementa Nanã. É o princípio masculino que ela traz em si. É o descendente ligado aos cemitérios, à carne em decomposição; o responsável por devolver à velha senhora seu elemento primordial, o barro, propiciando a continuidade da vida. Mãe e filho revestem-se da mesma ambigüidade perante o início e o fim: vida e transformação pela morte.

Omulu é o filho de Nanã mais poderoso, o responsável pela cura e pela morte. Assim como é con-

• NANÃ •

siderado, por alguns, o médico entre os orixás, é causador da morte dos maus e dos desafetos por intermédio de doenças infecto-contagiosas – em especial a varíola (a popular bexiga negra), uma doença transmissível pelo contágio, caracterizada pela febre alta com erupção em pústulas que, muitas vezes, deixam cicatrizes profundas.

COMIDAS DE OMULU

Sua iguaria característica é o buburú, a pipoca, chamada popularmente de flor de Omulu. Adora dar um banquete, chamado olubajé: um grande ebó (oferenda) que oferece aos seus convidados encarnados e desencarnados, do lado de fora do barracão de festas, em frente à sua casa. Neste ágape, são servidas comidas dos orixás da família pacatinha e também de outras divindades.

Os alimentos são os seguintes: as aves preparadas como xinxim (refogadas com camarão seco, cebola e azeite de dendê); os animais oferecidos (preparados do mesmo modo); farofa de dendê; feijão-fradinho muito bem cozido temperado, refogado com camarão, dendê e cebolas; milho branco refogado com camarão seco, cebolas e dendê; milho branco cozido; algumas comidas de Nanã (com exceção do aberém); feijão-preto cozido refogado com camarão, cebolas e dendê; milho vermelho cozido, acarajés e abarás.

CORES E TRAJES DE OMULU

As cores de Omulu são matizes de vermelho alternados com preto e branco, o que marca a descendência de Nanã. Há vezes em que prefere exclusivamente a cor branca. Principalmente quando responde pelo nome de Jagum, o guerreiro.

Seus colares são feitos de contas vinho, rajadas de preto, de contas brancas alternadas de pretas e vermelhas e de contas brancas rajadas de preto ou alternadas por contas pretas.

Não dispensa o filá ou azê, um capuz de palha-da-costa que lhe cobre o rosto.

OS FILHOS DE OMULU

Os filhos(as) de Obaluaiê são portadores de sentimentos contraditórios entre o ser ou não ser, o ter ou não ter, o que confirma seu caráter de permanente transformação da vida em morte, o que mais uma vez reforça sua condição de descendente da senhora dos primórdios.

São inteligentes, desconfiados, eternamente em conflito; podem ter muita compaixão ou ser implacáveis. Podem ser muito sábios e transcendentes ou absolutamente materialistas. Em geral são pessoas tímidas, sensíveis, um tanto carentes, que costumam julgar além das aparências.

Omulu gosta de marcar sua prole com alguma coisa diferente: uma cicatriz, uma pequena ferida, problemas cutâneos de maior ou menor porte; a maneira de olhar, o temperamento irascível ou a ambigüidade na maneira de ser.

· NANÃ ·

O OLUBAJÉ

Os terreiros de origem iorubá celebram o olubajé (corruptela de olu ba onge = a comida que traz o axé do senhor, do chefe) prestando uma homenagem ao povo jeje.

Nanã, Omulu e seus outros descendentes são os celebrantes do repasto. As casas antigas realizam a referida cerimônia aos moldes da tradição de cada terreiro: no Opô Afonjá os orixás da família de Omulu ficam sentados ao ar livre, em um grande banco – devidamente paramentados –, durante todo o tempo em que o banquete está sendo servido.

Cantam: *Olu baje onge nbo* (o senhor oferece a comida "que se adora" = sagrada).

Na Casa Branca do Engenho Velho, os orixás da "Casa do Tio", como é chamado carinhosamente, aguardam no recinto sagrado. Durante a divisão das iguarias de axé, canta-se a mesma cantiga: Olu baje onge nbo. Após o término do repasto, os orixás do referido terreiro, de tantas memórias, dirigem-se ao barracão de festas para dançar.

NANÃ

Importante como registro histórico é ressaltarmos que, no tempo de vida de Vovó Conceição, Nan Biyi, esta grande sacerdotisa, manifestada com Nanã, saía do espaço sagrado da Casa de Obaluaiê, à frente de seus filhos míticos, puxando a fila, levando, sobre a cabeça, um símbolo sagrado de Omulu, semelhante a um azê. A referida liturgia é a principal característica do olubajé do Engenho Velho.

Algumas condições são rigorosamente cumpridas por todas as comunidades queto tradicionais:

a) as iguarias são divididas por algumas ebames da comunidade, do lado de fora do barracão;
b) serve-se o olubajé em folhas de mamona;
c) come-se "no tempo": do lado de fora. Não se entra nos espaços fechados, a exemplo do barracão, com as folhas de mamona que contêm os alimentos;
d) comida de olubajé não se leva para casa;
e) ao término do banquete, as folhas de mamona são recolhidas.

As filhas-de-santo (iaôs e abiãs) e as equedes, em fila, vão passando pelas ebames responsáveis pela divisão das iguarias. Tudo pronto, ofereçam-nas aos convidados, segundo os critérios hierárquicos.

NANÃ E OXUMARÊ

Oxumarê é o filho belo de Nanã, o arco-íris que mora no céu. O filho dileto, que Nanã adora contemplar nas alturas. É o descendente da poderosa aiabá (oku orun) que só poderá ser tocado com os olhos, senhor que é de uma beleza inatingível.

Na condição de chuva, Oxumarê propicia a agricultura. É água que transforma a terra em lama – excelente para a vegetação, possibilitando, assim, o florescimento dos grãos da Deméter africana, transformada em seus descendentes. É o filho que ousou desafiar Nanã, conquistando seu temor e seu respeito.

Oxumarê é o grão-senhor da nação jeje, onde responde pelos nomes de Bessem e de Dã (ao se transformar na cobra sagrada). Divide com Euá o patronato sobre as artes. Seus elementos são a água

• NANÃ •

de chuva, a terra (da mãe Nanã) e o ar (de Obatalá, seu genitor). Sua saudação é "arro-bô-boi", cumprimento que se estende a todos os voduns.

Oxumarê é um príncipe que se encanta em serpente. É o belo senhor-cobra, animal temido e visto com uma certa repugnância, réptil que roça a terra com o próprio corpo: símbolo de sabedoria e discernimento. É o princípio vital e dinâmico do mundo; a ponte entre o céu e a terra, entre as demais divindades e os seres humanos.

Oxumarê é o senhor da riqueza e da fartura; o dono do ouro. Usa uma ferramenta em formato de cobra (seu encanto) e uma pequena adaga denominada tacará. Adora búzios e palha-da-costa; é o único descendente de Nanã que tem o direito de usar e exibir tantos caurís quanto ela, a poderosa rainha. Aprecia uma farofa de feijão-fradinho cozido; gosta de banana-da-terra, batata-doce e feijão-fradinho misturado com milho e feijão-preto.

As pessoas de Oxumarê são muito alegres, falantes, divertidas, inteligentes, às vezes melancólicas, encrenqueiras, mexeriqueiras, espirituais, elegantes, turbulentas, lentas nas atitudes e rápidas de pensamento, apreciadoras do belo, profundas, contemplativas e sensíveis.

NANÃ E EUÁ, OBÁ, OSSÂIM E IROCO

Em alguns mitos, Euá e Obá são consideradas filhas de Odudua. Em outros, descendentes de Nanã.

Nos livros *Euá, senhora das possibilidades* e *Obá, a amazona belicosa*, relacionei as referidas aiabás com Odudua. Nestes escritos, mostrarei sua relação com a velha senhora dos pântanos.

EUÁ

Euá é o orixá do horizonte, dos sonhos, do mundo virtual, que se transforma em um poço de águas límpidas para matar a sede dos filhos. Nanã também é a senhora de todos os poços de água, o que a aproxima desta aiabá das possibilidades. Euá tem o dom da invisibilidade: de se fazer sumir perante os olhos dos desafetos. É a senhora da arte, da qualidade; transforma o corriqueiro em extraordinário. Os minas, do Maranhão, consideram Nanã a responsável pelos sonhos, um dos principais atributos de Euá, uma aiabá que é da água, mas também é da terra e do ar.

Há mitos nos quais Euá é considerada a senhora do cemitério e esposa de Obaluaiê. Em outros, aparece como filha de Nanã, transformada em neblina para fugir do poder materno, pois sua mãe queria casá-la de qualquer jeito, contra a própria vontade.

OBÁ

Obá é a senhora da guerra, a amazona invencível, destemida e temida por todos. É aiabá de Xangô, o grande amor de sua vida amarga, marcada pelos constantes desprezos do esposo. Obá é a defensora das causas impossíveis, dos fracos e oprimidos, um dos atributos de Nanã, a senhora da justiça.

· NANÃ ·

Obá mostra-se como uma velha poderosa, a controladora da vida por intermédio da guerra, seu atributo principal. A guerra provoca muitas mortes. Quando isto ocorre, Nanã põe-se a postos, exigindo o que lhe pertence de direito.

Em alguns terreiros, Obá vive na família pacatinha, sendo cultuada às terças-feiras, dia dedicado a Oxumarê, Iroco e Euá. Já Nanã, a anciã entre os orixás, é cultuada nos terreiros em dias diferentes: às segundas, às terças e aos sábados.

IROCO

Iroco é o orixá da árvore e a árvore orixá, desbravador que vive na rua, do lado de fora. Tal qual Oxumarê, Iroco é o ponto de união entre os dois mundos: aiê e orun, conectados por seus galhos.

Corresponde a uma árvore (sagrada) plantada na terra, que tem raízes aéreas, com o condão de propiciar a continuidade da vida.

Iroco se identifica com Xapanã, o grande senhor do elemento terra, o dono das necrópoles, filho

· NANÃ ·

inseparável de Nanã. Os familiares de mortos costumavam, na África, colocar os cadáveres dos parentes nos grandes orifícios dos baobás e dos irocos africanos, o que, mesmo tornando-se, com o tempo, impraticável, deu ao orixá da árvore a alcunha de árvore-cemitério.

Iroco também é o orixá da cura, responsável pela saúde; mas pode causar doenças (leucemia e hemofilia), o que é mister de Obaluaiê; ajuda as mulheres a engravidar (atributo de Oxum, senhora das águas doces), mas também faz a menstruação aparecer fora da época.

Iroco tem uma forte ligação com diferentes entidades espirituais que vivem em seus domínios durante a noite. É, ainda, aparentado com os orixás da família de Obatalá, as divindades da criação, a família dos Iwin, os orixás que se vestem de branco, liderados por Obatalá-Odudua.

Todos os aspectos descritos, aproximam Iroco de Nanã. Ambos têm caracteres ambíguos, ligados à vida e à morte: Iroco é plantado na terra, mas tem

• **NANÃ** •

---

raizes aéreas, veste-se de branco; propicia a cura e a morte; dá abrigo a mortos e vivos.

OSSÂIM

Ossâim é o orixá curandeiro, senhor das folhas e das poções, o grande habitante das profundezas das florestas, o filho feiticeiro de Nanã. Sem Ossâim, as obrigações não podem ser realizadas. Desempenha, por isso, um papel muito importante e festejado na religião dos orixás, na África e na diáspora.

As folhas estão presentes no nascimento espiritual e na morte do iniciado. Na maioria das comunidades de terreiro, coloca-se um alguidar com sumo de folhas específicas, misturado com água e algumas folhas inteiras, na entrada da porta principal do lugar onde se realizam os rituais de axexê, sirrum e mucondo, os rituais fúnebres das diferentes nações.

A folha sagrada é nascimento. É utilizada nas feituras de santo; no entanto, é também morte, sendo usada nos rituais de passagem. É renascimento – e

• NANÃ •

por isso na tradição lesse egum as folhas são de capital importância. Essa condição de vida, morte e renascimento demonstra sua descendência de Nanã.

De tudo que ressaltamos uma coisa é certa: Nanã pode não ser considerada a mãe mais carinhosa do mundo se vista de uma determinada ótica, por ter criado seus filhos longe da barra de sua saia. Mas todos deram certo, conservando no mais profundo de sua essência um forte ar de mistério.

6 | A senhora da vida e da morte

Nanã é a senhora da vida que induz à morte. Sabemos que Nanã é a senhora da vida no aiê, mas também é a responsável pela efemeridade desta: o tempo dos mortais na terra é limitado, não importa se longo ou breve.

Nanã é a aiabá do mistério, um enigma perpétuo para os seres humanos. Apesar de termos certeza de nosso fim pela morte – para os iorubás Icu, uma entidade do gênero masculino criada por Olodumare, que age em parceria com Nanã –, esta é para nós, mortais, algo de difícil aceitação.

Em nossa sociedade contemporânea, o medo do fim é tão grande que não se admitem sequer conversas sobre o assunto... Atualmente, a sacralidade e o caráter comunitário da morte enfraquecem-se mais e mais.

Até o começo do século XX, o falecimento dava-se junto com a família. Era considerado um ato público, com a participação da comunidade próxima. Todos participavam do ato de morrer, rezando e assistindo ao ato final. Atualmente as pessoas fogem de funerais e velórios; o morrer é anônimo, acontece nos hospitais. O fim é muitas vezes visto como falha da medicina, ciência que cada vez mais se preocupa com o prolongamento do tempo no aiê a qualquer custo.

O grande desafio para a teologia cristã do século XXI é superar o medo da morte, minimizando a sensação de culpa, oriunda do terror do pecado. Uma coisa é comum a todas as crenças religiosas: nenhum ser humano tem capacidade de, sozinho, sair da situação de medo da morte.

· NANÃ ·

A aceitação do inevitável será "mais doce" se o mortal tiver a crença na continuidade da vida. Nada melhor do que o culto a Nanã para suavizar o medo do fim. A senhora dos primórdios não é a morte, mas dá vida a Icu – o responsável por ceifar a vida no aiê – ao estabelecer o pacto de empréstimo de seu elemento com Obatalá.

A MORTE PARA OS IORUBÁS

O povo iorubá convive melhor com a idéia da morte e com a certeza de sua iminência do que os ocidentais – em especial se Icu levar alguém que tenha tido vida longa, coroada de êxitos e descendência. A morte não significa fenecimento mas uma mudança de estado, de plano de existência; faz parte de um sistema que inclui a dinâmica da sociedade.

Sabe-se que a ação de Icu propicia a Obaluaiê a devolução, para Nanã, sob o epíteto de Ìyá Nlá (a grande mãe), a restituição da porção símbolo de sua matéria de origem, com a qual a criatura fora modelada.

· NANÃ ·

Ao nascer, cada indivíduo traz consigo o seu ori – a cabeça espiritual, que o nascituro escolhe livremente, conforme lhe aprouver; com o ori vem o destino na terra, conhecido pelo termo odu.

É importante esclarecer que os iorubás não têm uma visão fatalista, imutável acerca do destino, que poderá ser "melhorado", suavizado ou até modificado por intermédio dos ebós – as oferendas – e as limpezas espirituais. A idéia de destino (odu), desenvolvida pelo povo iorubá, está muito mais próxima do conceito de livre arbítrio dos cristãos do que do "mac tub" dos árabes ou do carma oriental.

O fim natural de alguém que tenha atingido a idade provecta é celebrado com uma festa cheia de música, divisão de comidas e bebidas, alegria e recordação de episódios da história do finado.

Na Iorubalândia existe o costume de o corpo do morto ser bem lavado e preparado para que chegue com dignidade à morada de seus ancestrais. Sacrifícios são feitos para que o espírito se fortaleça, bem como é costume deixar alimentos e demais oferen-

• NANÃ •

das aos pés do falecido. Os parentes e amigos cantam, dançam e comem muito. A festa é interrompida antes do pôr-do-sol, ocasião na qual o cadáver é envolvido com roupas ricas para então ser conduzido à sepultura.

Mensagens são enviadas para os demais parentes falecidos por intermédio do morto; uma prova viva de crença na continuidade pós-morte e também no poder dos ancestrais que convivem com os parentes ainda no aiê. A certeza da mudança de estado relativiza o sentimento de perda.

Alguns dias após o funeral, é celebrado um rito conhecido por "fífa éégun Òkùù Wo lé": "trazer o espírito de volta para casa". Reserva-se um espaço em um canto da residência, semelhante a um oratório, destinado ao convívio com o falecido, retornado ao seio familiar na condição de ancestral. Este culto é bem semelhante ao dos gregos e latinos, que prestavam tributos a seus deuses penates e lares. Neste local sagrado, com o caráter de um santuário da família, serão feitas as orações, pedidos e oferendas

NANÃ

para o espírito, que será inteirado pelos parentes de tudo que se passa na terra. Estabelece-se uma ligação permanente com o ancestral, a quem é costume dizer: *Bàbá mi má sùn o* (meu pai não durma). O antepassado faz parte da realidade familiar, cabendo a ele a vigilância da casa para que nada de mau aconteça aos seus protegidos.

Antigamente a sepultura era feita no lar da família do falecido mas esse costume foi modificado por questões higiênicas, suscitadas pelo crescimento das cidades e também por intercâmbio cultural com o ocidente, para quem a morte é mais pesada e macabra, representada por uma figura feminina envolta em uma túnica branca, que, no lugar do rosto tem uma caveira.

É importante registrarmos o que nos ensinou Antônio Albérico de Santana – o Obá Cankanfô do Axé Opô Afonjá, há mais de vinte anos. Nas primeiras décadas do século XX, na Bahia, ainda se cantava e dançava nos funerais dos afrodescendentes (iniciados na religião dos orixás ou não); esse era um costume corriqueiro no século XIX.

NANÃ

Muitas pessoas presentes às vigílias fúnebres costumavam ofertar à família do morto um tabuleiro cheio de acarajé (akara), abará (olele) e acaçá (ekó), dizendo, antes: Iku Ase Nde; as condolências, em iorubá, tal qual ainda se diz em nossos dias nas comunidades dos terreiros queto.

As referidas iguarias eram consideradas propriedade do finado(a), o(a) qual repartia as guloseimas com os participantes do velório, "pagando a presença". Todos deveriam se servir dos alimentos dos tabuleiros – depositados próximos ao caixão – e dançar ao redor do esquife, em reverência à memória do morto. Recorda-se o referido religioso que colocavam, ao lado dos tabuleiros, um balaio no qual eram depositadas as folhas dos abarás e dos acaçás comidos na vigília.

Na atualidade, somente para os iniciados na religião dos orixás, voduns e inquices são feitos rituais de passagem. Pelo fato de Nanã ser propiciadora da vida no planeta e andar de braços dados com Icu, a morte, é altamente reverenciada nesses rituais.

ICU, A MORTE

Icu é um emissário de Olodumare; não age por si só; executa ordens recebidas. A trindade incriada Olodumare-Olorum-Olofim é a responsável pela criação de tudo o que existe.

Acredita-se que Nanã também seja a senhora de Icu. Repita-se que o elemento sagrado de Nanã propiciou a Obatalá modelar os seres, sendo apenas emprestado por um limite de tempo – uma exigência da velha aiabá que, assim agindo, é a co-criadora da morte, a ponto de injustamente confundir-se com este ser cuja natureza não é divina, conforme nos revelam os mitos do sistema oracular.

Cada um tem seu dia determinado para partir. Contudo, mediante a interferência protetora de Orumilá, o senhor da adivinhação – grande intrometido, segundo Nanã –, Icu poderá ser ludibriado. A mitologia iorubá acredita que este – que via de regra vem recolher a vida dos idosos – poderá chegar para alguém prematuramente se o indivíduo

· NANÃ ·

quebrar os próprios euós (èèwọ̀), os tabus espirituais de toda espécie. Sua ruptura implica o consumo de alimentos proibidos e a não observância de uma série de normas comportamentais, por ações e omissões conscientes do sujeito; principalmente se agir de forma desrespeitosa, com o intuito de quebrar os preceitos espirituais.

Para Nanã, a senhora da justiça, o principal euó é a mentira, o falso testemunho e a exploração do mais fraco pela ganância. Já a não observância dos euós alimentares poderá atrair a atenção de Icu.

Segundo um conhecido itã de Ifá, a própria morte se deu mal por violar seus euós de comida.

Icu não tinha qualquer critério para recolher a vida de alguém. Por qualquer toma-lá-aquela-palha, arrancava um vivente do aiê no melhor da idade. A continuidade da espécie humana no planeta estava ameaçada pela falta de critério da morte.

Icu tinha uma esposa conhecida por ser muito faladeira, uma fofoqueira com dificuldade de guardar a língua dentro da boca. Um belo dia, um grupo de pessoas muito espertas de determinada aldeia foi fazer uma visita à mulher de Icu. Conversa vai, conversa vem, depois de um bocado de lero-lero as pessoas começaram a incensar Icu chamando-o de imbatível, invencível, o supra-sumo do que há de mais valente, forte e indestrutível. Lamentavam-se de não ter a mesma sorte; pobres seres humanos, que deveriam abster-se de vários alimentos. A esposa de Icu engoliu a isca; disse em tom de voz desafinado:

— Qual o quê! Vocês estão redondamente enganados. Meu marido não pode comer um monte de coisas: ecutê (rato), ejá (peixe) e pepeié ein (ovo de pata). Se ele comer peixe, as mãos não param de tremer; se comer rato, os pés não param de tremer, e vomita os bofes se comer ovo de pata!

Não deu outra. Os habitantes da aldeia prepararam uma grande festa e convidaram Icu. Não é preciso dizer qual era o cardápio... Depois de enfraquecido e humilhado, Icu aceitou um pacto: precisaria observar critérios para retirar a vida das pessoas.

· **NANÃ** ·

O fascinante na filosofia iorubá é que nela acredita-se na liberdade de ação sobre todas as coisas. Nenhum caminho é absolutamente fechado. Até Icu poderá ser enganado mediante proteção espiritual e esperteza.

Um outro conhecido mito de Ifá nos ensina que, mediante a proteção de Orumilá, por intermédio de sacrifícios e ebós, a morte predestinada poderá ser revertida.

Um homem de meia-idade, um pouco indisposto e com um pavor enorme de morrer, foi consultar o oráculo de Ifá. Lá chegando, este lhe disse que fora procurá-lo na hora precisa. O consulente trazia em si a sombra da morte. Caso ele agisse rapidamente conseguiria reverter a situação. Recomendou que o homem mudasse a posição da cabeça na sua esteira quando fosse dormir. Antes de se recolher, deveria passar no corpo bastante sumo de jenipapo.

O consulente, apavorado, cumpriu à risca os mandamentos de Ifá. Não sem tempo! Naquela mesma noite, Icu entrou em seu quarto para buscá-lo. Qual não foi a surpresa da morte ao se deparar com um desconhecido deitado em uma posição diferente.

Aborrecido com o fracasso, foi ter com Olodumare, dizendo que não achara a pessoa que deveria partir para o orum, conforme estava predestinado. Olodumare deu boas risadas, relatando a Icu o acontecido. Este, furibundo, falou que voltaria imediatamente à casa do sujeito, com o intuito de recolher sua vida de qualquer maneira. Olodumare retrucou:

– Não se morre duas vezes na mesma noite. Se o espertinho conseguiu enganá-lo, merece viver o triplo do que já viveu!

Dito e feito. O homem viveu muitos e muitos anos e só retornou ao orum depois de ter visto seus bisnetos casarem-se. A festa dada em celebração à sua partida é falada até hoje.

Por ocasião do falecimento de uma pessoa idosa, que teve uma vida farta, costuma dizer-se: *Ikú kí pa ni, ayò ló npa ni* (a morte não mata, são os excessos que matam).

· NANÃ ·

Assim, a título de conclusão ressaltamos que Icu é agente, um soldado a serviço de seu superior.

Contudo, é mister ser registrado que no universo religioso afro-brasileiro existe uma qualidade específica de Nanã que é considerada a senhora da morte.

BREVE NOTÍCIA SOBRE OS RITUAIS FÚNEBRES NO CANDOMBLÉ

Um sacerdote morto só será conduzido ao orum por Oiá – a senhora dos espíritos – após a realização de uma cerimônia específica antes do enterro. Este é o caminho para que se transforme em ancestral. A cerimônia corresponde ao pagamento de um tributo à velha senhora dos primórdios. É a partir deste momento que Omulu dará os passos iniciais rumo ao processo de remodelação da matéria.

O referido etutú (cerimônia) libertará o defunto de sua condição de sacerdote na terra, liberando-o para que se transforme em ancestral, no orum. É o primeiro passo antes do axexê – uma cerimônia linda e digna realizada por ocasião do falecimento de um iniciado na religião dos orixás.

À liturgia do axexê, que é pública, todos deverão comparecer vestidos de branco. Os iniciados e iniciadas deverão usar roupas feitas de morim, da forma mais simples possível. As mulheres vestirão saia de crioula, camisu (camisa) e pano-da-costa enrolado nos ombros, feito um xale; cobrirão as cabeças com um ojá (turbante) de morim. Os iniciados do sexo masculino deverão usar um gorrinho chamado de filá ou, na falta do filá, um boné branco.

O sacerdote líder, antes de iniciar a liturgia, deverá saudar a porta, isto é, deslocar-se até a entrada principal, em sinal de respeito aos ancestrais (acredita-se que estejam presentes à cerimônia, do lado de fora).

Os sirruns e mucondos têm a mesma natureza dos axexês. O tambor-de-choro, também chamado de zelim ou zeli, é a cerimônia fúnebre dos mina-jeje do Maranhão, realizada para alguém que tenha sido dançante (denominação que se dá às iniciadas) ou tocador (huntó), segundo os preceitos da Casa das Minas – o mais importante templo da referida nação, consagrado ao vodum Zomadônu.

Nanã e suas sacerdotisas têm um papel importante nos rituais fúnebres, tendo em vista sua natureza. Os espíritos costumam reverenciar as filhas desta senhora dos primórdios, às quais são conferidas tarefas específicas. Quando uma filha de Nanã dança axexê (aqui vale para todas as outras nações) os participantes se levantam em homenagem àquela que contém a morte na palma da mão.

7 | Mitos da tradição

A maioria dos mitos aqui recolhidos habita a memória viva de algumas comunidades religiosas da Bahia. Outros são fruto de pesquisa bibliográfica.

De casa para casa, a mitologia pode mudar, o que às vezes é motivo de polêmica e divergência. Alguns mitos já foram referidos em outra parte deste trabalho; agora serão contados de uma forma mais rica e saborosa.

Boa leitura!

· **NANÃ** ·

1. A CRIAÇÃO DA VIDA E DA MORTE

Olodumare criou a terra, o aiê, decidindo habitá-la. Viu que tudo era muito belo, mas muito enfadonho, sem graça; faltava-lhe vida. Encarregou então Obatalá, o grande orixá funfun da família dos iwin – os senhores do elemento branco –, de gerar a vida no aiê.

Obatalá pensou, pensou e pensou. Depois de bastante refletir, chegou à conclusão de que o melhor material para a construção do ser humano seria o ar. Nada como o ar: confiável, puro e pertencente a seus domínios.

Pôs mãos à obra. Ficou uma beleza mas, de repente, "puft", o homem se desvaneceu.

Oxalá pôs-se novamente a refletir. Pensou, pensou, pensou e resolveu fazer o homem de madeira. Ficou horrível. A criatura ficou toda dura, sem arte, sem jeito, um verdadeiro fracasso.

Tentou várias alternativas: pedra (um desastre), fogo (o homem se incendiou), azeite, água... e então desanimou-se. A água foi a pior de toda as tentativas. Impossível construir o ser humano de água.

Deu-se por fracassado, resolvido a ter com Olodumare, pedindo-lhe que designasse outro inventor da vida. O pior de tudo é que não suportaria o escárnio e as provocações de Odudua. Seria chamado de velho senil, decrépito, incompetente e fraco. Mas não tinha jeito. Desistiria da incumbência.

Sentindo-se péssimo, saiu à procura do senhor de todas as coisas, Olodumare – também invocado sob os nomes Olofim e Olorum –, deparando-se no caminho com Nanã, a senhora da lama. A veneranda senhora – que tinha uma queda pelo velho – perguntou-lhe que bicho o mordera. Ele estava com uma cara de meter medo. Obatalá relatou-lhe os fatos.

Depois de refletir ligeiramente, Nanã disse-lhe que tinha a solução para os problemas do ilustre orixá. Poderia ajudá-lo mediante uma única condição. Forneceria o barro, seu elemento, para a construção do ser humano. No entanto, após um período determinado, aquele material deveria voltar ao seu poder.

• **NANÃ** •

Obatalá concordou com o acordo proposto e tudo deu certo. O ser humano ficou uma lindeza. Tudo saiu às mil maravilhas. O velho senhor soprou seu hálito no boneco feito com a lama, enchendo-o de vida. Dirigiu-se até Olorum e, relatando os fatos com a grande honestidade que lhe é característica, contou-lhe a condição imposta pela senhora dos primórdios.

Olorum riu-se; tudo daria certo. A vida da criatura no aiê seria limitada por apenas um pequeno período de tempo, findo o qual Icu, a morte, uma entidade recém-criada, encarregar-se-ia de recolher a vida executando ordens dele, o senhor do universo. Nessa hora, mediante a ajuda de Obaluaiê, o senhor da terra, filho de Nanã, o material emprestado pela velha aiabá ser-lhe-ia restituído.

Dito e feito. Criara-se a vida e, depois, a morte para ceifá-la. Onde há vida haverá morte, que só acontecerá se houver vida... Vida e morte são um par inseparável.

2. O FILHO FEIO DE NANÃ É BELÍSSIMO

Segundo os mitos, Omulu nasceu muito feio. Feio de fazer medo a qualquer um que botasse os olhos em cima dele. A pessoa saía correndo com quantas pernas tivesse, berrando por socorro.

Por ser tão horripilante, Nanã, sua mãe, a dona da lama, expulsou-o de seus domínios, colocando-o à beira da água, para que lutasse pela vida e sobrevivesse forte e sábio.

Iemanjá, a senhora das águas, encontrou-o, adotando-o como mais um de seus inúmeros filhos. Omulu cresceu e transformou-se em um homem atraente, sempre coberto por seu capuz, o azê, que ele usava por pura pirraça. Queria que o mundo pensasse que ele era feio, muito feio de meter medo.

Um dia, sua amiga Oiá-Iansã, a senhora dos ventos e tempestades, provocou um vendaval que revelou ao mundo a beleza de Omulu, para surpresa da própria Iansã e de todos os que presenciaram os fatos.

Omulu é devotadíssimo a Oiá-Iansã porque ela se tornara sua amiga sem ao menos conhecer seu rosto. Para ele, somente os tolos julgam pela aparência.

Dizem que ele mantém uma certa mágoa de Nanã por ter sido expulso de seu reino.

3. O FILHO FEIO DE NANÃ FICA BONITO POR CAUSA DE IANSÃ (UMA VARIANTE DA LENDA)

Omulu era tão feio, tão feio, tão coberto de chagas desde o nascimento, que sua mãe, Nanã, envergonhada pela feiúra do rebento, resolveu colocá-lo na beira do mar para que Iemanjá o criasse. Sabia que a senhora das águas era louca por crianças.

Iemanjá tinha saído e o pequeno permaneceu muito tempo na beira da praia, sendo atacado por um caranguejo malvadão, o que piorou seu já lastimável estado.

• NANÃ •

Mas tudo saiu como Nanã planejara. Iemanjá viu o pequeno feioso e levou-o para seu palácio, onde Omulu cresceu juntamente com seus outros filhos. Por mais que se tratasse, entretanto, Omulu não conseguia livrar-se das feridas: elas aumentavam, doíam e cheiravam mal.

Um belo dia, os outros orixás deram uma grande festa. Omulu chegou ao local quando o baile já estava muito animado. Ficou espiando pela janela, com vergonha de entrar.

Ogum, vendo a timidez do orixá coberto por tantas feridas, condoído, colocou-lhe um capuz de palhas, chamado filá. Assim, o jovem poderia participar da festa sem ser visto.

Omulu entrou e, mesmo assim, foi isolado pelos demais. Ninguém desejava aproximar-se dele.

Iansã, senhora de compaixão, furiosa com a dureza dos outros orixás, soprou um vento sagrado sobre as palhas de Omulu, levantando-as bem alto. Por encanto, as feridas do filho de Nanã pularam para o alto, transformadas em buburú, a pipoca, e se espalharam pelo salão feito pérolas.

Todos olhavam boquiabertos para o moço belíssimo sem o filá. Omulu se transformara no mais belo jovem da festa.

Omulu e Iansã, de braços dados, foram dar uma volta na rua, longe dos olhares especulativos das jovens que, pouco tempo antes, debochavam do infortúnio do rapaz. Os dois se tornaram amigos inseparáveis, senhores dos espíritos, defensores dos pobres e dos desafortunados.

Quem quiser incorrer na ira de Omulu, ou de Nanã, diga que Iansã é briguenta!

Atotô – Eparrei!

4. O FILHO DE NANÃ QUE MORA NO CÉU

Nanã teve um filho muito bonito a quem deu o nome de Oxumarê. Vivia a mirá-lo sem parar. O menino não se agüentava mais de quebranto, de tanto olhado que a mãe lhe botava sem querer. Vivia doentinho e enjoado. Não se alimentava, não brincava, definhava a olhos nus. No andar daquela carruagem, seu tempo no aiê seria breve.

Nanã não conseguia deixar de olhar o filho belo, tão belo, mesmo doente. Ele era tão belo, tão belo, que a mãe, orgulhosa de sua beleza, transformou-o no arco-íris, colocando-o bem no alto, lá no céu, onde ele viveria para sempre!

O arco-íris fica eternamente a dizer, no resplendor de sua lindeza: "Depois da tempestade, vem a bonança".

5. NANÃ ESCONDE O FILHO FEIO E APRESENTA O BELO

Omulu, também chamado de Obaluaiê, nascera tão feio, tão feio, que cortara o coração de sua mãe, Nanã, arrasada por ter parido um ser tão desprovido de atrativos. Ela vivia chorando de pena do filho. Sabia que a vida seria dura para ele, pois os sem fé zombam dos seres desprovidos de beleza. Temia pelo futuro do rebento.

A fim de evitar maiores transtornos para Omulu, Nanã cobriu-o com um capuz de palhas-da-costa trançadas, denominado azê.

Para sua felicidade, Nanã dera à luz um filho belíssimo, completamente diferente do primeiro. Colocou-lhe o nome de Oxumarê. Ele era belo, muito belo, dotado de uma beleza a um só tempo feminina e masculina. Sua pele tinha todas as cores da natureza.

Nanã colocou o filho no céu, com todos os seus matizes, deixando-o lá para encantar a todos com sua beleza, vista, por todo o sempre, do alto. Depois que chove, ele aparece lá em cima, resplandecente e belo.

6. OXUMARÊ ROUBA A COROA DE NANÃ

Muita gente diz que Oxumarê é tão bonito, tão bonito, mas tão bonito, que tem um lado feminino

NANÃ

e outro masculino. Por seis meses ele fica do lado masculino. Nessas ocasiões é menos vaidoso, mais valente, acomodado. As mulheres ficam caidinhas a seus pés...

Por seis meses ele fica do lado feminino. Nessas épocas é muito vaidoso, falante e um tanto ambicioso. As moças fogem de sua companhia aborrecida.

A mudança de temperamento é tão brusca, tão brusca, que Oxumarê sempre se dá mal: acham que ele é meio homem e meio mulher, o que ele não aceita nem admite porque é muito masculino!

Oxumarê tem o dom de se encantar em serpente, animal que aterroriza as pessoas. Por esse motivo andava revoltado com a mãe que, apesar de ser uma feiticeira poderosa, especialista em folhas e mezinhas, não fazia nada para ajudá-lo.

Um dia se encontrou com Exu, o senhor das encruzilhadas, um intrigante de primeira e competente na tarefa de tecer intrigas, e resolveu desabafar-se com o amigo. Disse-lhe que andava meio revoltado

NANÃ

com a mãe, a senhora dos pântanos, que mais se preocupava com as próprias coisas do que com ele, seu filho.

Antes o arco-íris não tivesse falado com Exu! O que Exu mais adora, adora mesmo, a ponto de se jogar no chão estourando de tanto rir, são equívocos, mal-entendidos e situações ambíguas. Exu não age assim porque seja mau. Nada disso. É que ele, tal qual Omulu, exorta as pessoas a não irem pelas aparências. "Nem tudo que reluz é ouro". A gente gosta de dar asas à imaginação e de criar fantasias, passar a acreditar nelas, sofrer por motivos imaginários. Nessas horas, Exu não pode ser solicitado como conselheiro. Ele é um orixá de muitos atributos. Contudo, uma coisa ele não é e jamais será: um bom conselheiro.

Dito e feito. Exu aconselhou Oxumarê a roubar a coroa de Nanã, tornando-se o rei da nação jeje, com direito a muitos cauris (que ele adora), honrarias, boas comidas e... excelentes amores. Para realizar seu intento com sucesso, o arco-íris deveria transformar-se em serpente e sair perseguindo as pessoas do palácio de Nanã.

Não deu outra: a velha senhora, assustada com a possibilidade de perder a criadagem, vítima do veneno da serpente, prometeu a Oxumarê que, se ele assumisse a forma original e deixasse todos em paz, ela lhe daria seu adê (coroa) real.

E assim foi feito. Oxumarê foi coroado rei da nação jeje.

Cá entre nós, que ninguém nos ouça, quem ganhou com a troca foi o povo. Exu, na verdade, foi um bom advogado... Oxumarê é mais alegre e liberal do que a senhora dos primórdios, que é justa mas implacável.

É o que dizem. Sabe-se lá...

7. NANÃ CASTIGA O FILHO REBELDE

Omulu era um pequeno arteiro e rebelde. Nem a pulso obedecia à mãe ou aos mais velhos. A coisa

NANÃ

não andava bem. Caso continuasse a agir daquela maneira, seu futuro não seria nada promissor. Precisava ser exemplado a tempo.

Tudo começou em um belo jardim. Omulu estava brincando, perto de um canteiro de flores brancas. Sua mãe lhe disse que poderia brincar mas que não ousasse pisar nas flores. Elas não resistiriam. Eram pequeninas e frágeis. Dito isto, afastou-se.

Não deu outra... A primeira coisa que o desobediente fez foi pisar no canteiro, matando as pobres florezinhas. Imediatamente, começou a sentir um ardor na pele, seguido de muita coceira. Seu corpo estava coberto por pequeninas flores brancas, iguaizinhas às que esmagara. Como ardia! Ardia, coçava e doía para valer.

Berrou pela ajuda da mãe, jurou que se emendaria; seria um bom menino, justo e obediente.

A mãe disse que iria ajudá-lo. Aquilo era castigo mas, diante das promessas de Omulu, ela iria tomar uma providência.

Apanhou um bocado de buburú e lançou sobre o corpo do pequeno filho. As pústulas foram desaparecendo, desaparecendo. O corpo do guri ficou lisinho... um verdadeiro milagre.

Omulu se emendou, transformando-se em um menino um pouco obediente. Dizer que ele ficou uma beleza, seria complicado...

Então a gente diz (para ele ouvir) que ficou horrível, uma feiúra, um pouco menos desobediente. Para Nanã a gente fala que ele ficou mais obediente.

É assim que se faz...

8. XANGÔ CORTA O CORAÇÃO DE NANÃ

Dizem os antigos que coisas de "rabo-de-saia" acabam dando em tragédia. Os antigos sabem o que dizem.

Nanã vivia dizendo boju tonan para seu filho Oxumarê. Isto quer dizer: vigie o próprio caminho – no sentido de que devemos ver e rever nossas ações.

· NANÃ ·

Oxumarê era muito mulherengo, metido a tirar flerte com mulher dos outros. Andava enrabichado pela bela Oxum. Ela era linda demais! Os dois juntos eram uma beleza que só vendo! Acontece que Oxum era casada com Xangô, um homem superciumento, violento, machista, que não gostava de perder. De mais a mais, Xangô era bom de briga. Difícil se dar mal em um confronto.

Nanã temia pela sorte do filho irresponsável. Algum bajulador desocupado, desses que não têm muito o que fazer, dos que ficam matutando como tirar vantagem da infelicidade alheia, foi dizer ao senhor do fogo para que abrisse os olhos com aquele moço de fala mansa, divertido, chamado Oxumarê. Ao despedir-se, perguntou a Xangô por Oxum, senhora de uma beleza de virar a cabeça de qualquer um.

Xangô somou dois mais dois... Jogou verde e colheu maduro.

Desafiou Oxumarê para um duelo que durou dias seguidos e acabou matando o belo rapaz.

• NANÃ •

Nanã ficou inconsolada, desesperada de tanta dor. Foi ter com Olodumare, o senhor de todas as coisas, pedindo ajuda. O senhor dos senhores, compadecido, transformou Oxumarê no arco-íris, colocando-o no mais alto dos céus. Nanã ficou feliz, satisfeita com o desenrolar dos fatos.

Oxum é que não gostou muito da coisa. Preferia Oxumarê vivo, na terra.

Por isso dizem que ele desce à terra, na forma da serpente Dã.

9. NANÃ E OXALÁ

Nanã se sentia triste e solitária, eternamente na tarefa de controlar o nascimento e o fim da vida humana. Era a Ialodê: a grande senhora de sua aldeia. Todos a temiam. Era uma juíza implacável, poderosa e mal-humorada; seca e distante. Não admitia desordens de qualquer tipo.

• NANÃ •

Na verdade, Nanã sentia a falta de um companheiro no dia-a-dia.

Um belo dia, Oxalá foi visitar Nanã em seu palácio. Ficou maravilhado ao ver que a senhora dos pântanos era excelente dona-de-casa. Ordeira, exigente e de bom-gosto. Tudo nos trinques e nos conformes.

Oxalá estava cansado de sua vida solitária. Ocupadíssimo que era, quase não tinha tempo para nada.

Comeu com delícia as comidas preparadas por Nanã. Uma gostosura! Aquilo que era cozinheira.

Oxalá retornou no dia seguinte. E no outro e no outro. Voltou muitas vezes. Ia e voltava.

Durante um dos jantares diários, cada vez mais famosos (como engordara!), caiu uma tempestade daquelas de fazer medo. Choveu tanto, mas tanto, tanto, que os animais atolaram no barro e o velho teve de passar a noite com Nanã.

Até hoje o atoleiro não passou e ele ainda está lá. Gordo e feliz.

Nanã vive alegre e alegres também estão os seus súditos.

10. NANÃ E EUÁ

Nanã, a mãe de Euá e Oxumarê, andava muito preocupada com a filha solitária e silenciosa, vivendo isolada do convívio de todos. Euá era muito linda, linda como as manhãs ensolaradas; tinha inúmeros pretendentes, mas não desejava contrair matrimônio com nenhum deles. Queria permanecer solteira e casta. Sua vida se resumia à tarefa de fazer cair a noite, puxando o sol com o arpão. Ela era o próprio horizonte, o exato lugar de encontro do orum com o aiê.

Nanã andava tão preocupada com o jeito da filha linda, iluminada e hostil ao interesse dos pretendentes à sua mão, que resolveu consultar-se com o babalaô; pediu a Orumilá que fosse feito algo que mudasse a cabeça de donzela tão teimosa!

Euá e Oxumarê eram irmãos muito unidos. Na companhia de Oxumarê, o arco-íris, Euá ria-se, descontraía-se, era outra pessoa.

Quando ela soube das intenções de Nanã – de casá-la a pulso –, chorou tanto, tanto, tanto, que

Oxumarê, apiedado, levou-a para o céu, escondendo-a detrás do arco-íris, em um local a que Nanã não tem acesso. Nanã tem medo de alturas.

Os dois irmãos passaram a morar juntos para sempre: o arco-íris e o horizonte.

Quando ela volta ao aiê, vem na forma de uma bela serpente amarela, rajada de vermelho, para que a mãe não a reconheça.

11. O LUTO DE OMULU

Omulu tinha um gênio muito difícil. Tão difícil, que fazia tudo ao contrário dos demais; tudo trocado. Seus códigos eram terríveis. Tinha um jeito lúgubre e mal-humorado. Detestava gracinhas de quaisquer espécies.

Omulu era um grande andarilho que andava pelo mundo vestido de vermelho com uns riscos brancos. Caminhando, caminhando chegou ao reino de Xangô.

· **NANÃ** ·

O orixá do fogo, muito gaiato, resolveu pregar uma peça em Omulu. Aparentando um ar compungido, disse-lhe que a sua mãe, Nanã, tinha morrido e sido enterrada. Omulu não disse nada. Entrou em uma loja e comprou um pano preto que amarrou no meio dos outros que usava em homenagem ao falecimento da genitora.

O luto dos iorubás é branco. Mas Omulu faz tudo ao contrário. Daí, o tecido preto.

Omulu andava, andava, andava, sempre vestido de vermelho, preto e branco. Um belo dia, em uma dessas caminhadas pelo mundo, encontrou-se novamente com Xangô. O rei do trovão tinha a memória muito curta. Perguntou por todos da família de Omulu. Ao indagar-lhe a respeito da saúde de Nanã, de como ia ela, Omulu, espantado, disse que ela tinha morrido. Não é o que Xangô lhe dissera?!

O rei de Oió não se recordava da piadinha de mau gosto. Retrucou dizendo que ao que ele sabia por intermédio de Oxalá, Nanã ia muito bem de saúde.

Afinal, como poderia ela, a controladora da morte, morrer?!

Omulu retirou-se em silêncio. Decidiu permanecer usando as três cores. Ficara de luto por sua mãe aquele tempo todo, permaneceria de luto e ponto final. Por tal motivo suas cores são a vermelha, a branca e a preta.

Omulu não abre mão de suas convicções. Quem puder que entenda.

12. OXALÁ AJUDA NANÃ A SER JUSTA

Nanã era uma rainha poderosíssima e uma juíza severa. Todos os litígios eram submetidos à sua apreciação. De pai com filho, de vizinho com vizinho, de animal com animal e de marido com esposa.

No reino de Nanã havia uns egunguns muito valentes, que só obedeciam a ela. Era a senhora destes ancestrais masculinos e fazia o que melhor lhe aprouvesse.

· NANÃ ·

Nanã era boa juíza, exceto quando a contenda envolvia marido e mulher. Assumia totalmente a maternidade da mulher. Toda vez que a demanda era entre esposo e esposa, Nanã dava ganho de causa à esposa, mesmo que injustamente, e mandava trancafiar o marido junto com os egunguns, que aplicavam no homem uma tremenda surra, dessas de criar bicho.

Os membros do sexo masculino não agüentaram tanta iniqüidade. Foram ter com Ogum, o senhor dos caminhos, desafeto de Nanã (e vice-versa) pedindo-lhe ajuda.

Ogum, furibundo com a senhora dos pântanos, foi ter com Obatalá, o senhor da criação, relatando-lhe os acontecimentos.

Oxalá disse que resolveria a situação usando a cabeça. Nanã tinha uma quedinha pelo grande orixá.

Quando ele chegou a sua casa, levou-o para visitar todos os cômodos até que se depararam com uma casa escondida atrás de uma moita de peregum (dracena). A porta estava fechada. Oxalá manifestou desejos de entrar. Nanã hesitou um pouco mas, mediante as insistências do belo senhor, acabou cedendo e disse-lhe que ali era a casa dos egunguns. Abriu a porta e, no recinto, a velha senhora apresentou Oxalá aos egunguns, muito desconfiados com aquela presença estranha.

Oxalá passou a freqüentar a casa de Nanã todos os dias. Tanto fez que conseguiu localizar a chave que abria a porta dos egunguns.

Um certo dia, chegou à casa de Nanã sendo informado de que ela tivera de sair inesperadamente, mas dera ordens expressas para que ele ficasse bem à vontade. Oxalá agradeceu. Disse aos criados que estava muito cansado e que iria dormir um pouquinho. Era a chance. Foi até os aposentos de Nanã e vestiu uma de suas roupas costumeiras. Ato contínuo, dirigiu-se para o Ilê egungum e, imitando a voz de Nanã, comunicou aos ancestrais que, daquele momento em diante, ela estava exortando-os a acatarem ordens tanto dela, como era costume, quanto daquele senhor simpático, que estava sempre com ela, chamado Oxalá.

A falsa Nanã também lhes disse que só bateriam em alguém quando Oxalá confirmasse o ato.

Passou-se o tempo e as coisas começaram a mudar para melhor. Oxalá passou a acompanhar Nanã nos julgamentos. Nas contendas de marido e mulher, as duas partes passaram a ser ouvidas, o que não ocorria antes. A paz e a tranqüilidade passaram a fazer parte do reino de Nanã que, com o auxílio de Oxalufã, passou a ser uma juíza justa e equilibrada.

13. OGUM DÁ UMA SURRA DE FACÃO EM NANÃ E FICA EMPESTEADO

Ogum, o ilustre senhor dos caminhos, era um homem irascível que, por qualquer dá-cá aquela palha, era possuído por enormes ataques de fúria. Nesses momentos, ai de quem cruzasse o seu caminho! Ele via tudo vermelho da cor do sangue em sua frente e cortava a cabeça de quem lhe aparecesse.

NANÃ

Ogum não era mau; era generoso, justo e destemido. O único problema é que, quando contrariado, não segurava seus péssimos bofes. Todos tinham pavor de Ogum. Não se sabia quando ele ia ser possuído pela ira.

Um belo dia, Ogum estava andando sem destino e, andando, andando, chegou ao reino de Nanã. Pediu água e hospedagem. Estava cansado, coberto de poeira, não via a hora de tomar um bom banho.

Um empregado de Nanã abriu a porta desconfiado. Ogum disse-lhe quem era: o general, o Asiwaju, grande orixá desbravador, senhor dos caminhos e inventor do ferro.

O criado pediu-lhe que aguardasse do lado de fora. Ogum esperou um minuto, dois, dez... vinte... trinta e sete. Já estava começando a ver tudo vermelho na frente, sentia a garganta seca e os lábios ressequidos, quando o criado voltou. Disse-lhe que a senhora da casa iria recebê-lo, mediante uma condição: que ele se lavasse, trocasse de roupas e se

NANÃ

comportasse direitinho em seus domínios. A fama de Ogum não era das melhores.

O senhor da guerra, insultadíssimo, deu um empurrão no serviçal e, de espada em punho, invadiu os aposentos de Nanã, que estava conversando com Icu, a morte. Ao ver Ogum possesso daquele jeito, Icu deu um salto e pulou pela janela, deixando a senhora da lama entregue à própria sorte.

Pobre Nanã... Ogum tirou o facão da cintura e deu uma tremenda surra em Nanã que, de tão chocada com a impetuosidade do guerreiro, perdeu a fala.

Instantes depois – Nanã já estava coberta de sangue –, Omulu entrou na sala e, vendo o acontecido, levantou o azê e jogou a peste negra para cima de Ogum. Desta vez foi este quem saltou a janela...

Com uma febre altíssima, cheio de pestilência, Ogum foi ter com Iansã. Esta despiu toda sua roupa e soprou-lhe as feridas, sem grandes resultados. Enrolou Ogum em folhas de bananeira verde e foi ter com Obaluaiê, seu amigo do peito, implorando

· NANÃ ·

pela saúde de Ogum, que já estava mais morto do que vivo. O que seria de todos se Ogum morresse? Morreriam as invenções, os desbravamentos, as livre iniciativas. Seria o caos para a humanidade.

Omulu não é de perdoar, mas desta vez foi diferente. Quem estava lhe fazendo uma súplica era Oiá, a bela senhora dos ventos e das tempestades, a gentil rainha dos espíritos; mulher valente e destemida que, só de olhar, arrancava uma árvore pela raiz. Intercedendo por Ogum, Oiá mais parecia uma menina frágil, desesperada, debulhada em lágrimas.

O amor que Omulu tem por Iansã foi mais forte que o ódio que estava nutrindo por Ogum. Levantou o azê e soprou em direção de Ogum. As pústulas desapareceram uma a uma.

Quando Oiá voltou, encontrou Ogum muito cabisbaixo e humilde... Oiá mandou Ogum pedir desculpas a Nanã e tudo deu certo: foi dado um grande jantar, no qual Ogum dançava, fazendo gestos de quem se coçava, e cantava:

Cata, cata, Ogum mejê, Ogum
mejê, arrombo bôi...

Desse dia em diante, o orixá inventor controlou seu gênio terrível, pensando duas vezes antes de tomar atitudes precipitadas.

Isso tudo foi bom para ele, que passou a ser visto por seus súditos com muito mais simpatia. Antes ele era um bom rei, porém... seu gênio indomável é que "botava as coisas a perder"...

14. OXALÁ, NANÃ E IEMANJÁ

Nanã era apaixonadíssima por Oxalufã. Mas Oxalufã era apaixonado por Iemanjá, que não queria "conta com ele". Achava que ele estava velho e acabado, e ela queria ter filhos, muito filhos. Adorava a idéia de ser mãe.

Nanã não era dada a conformismos. Conquistaria Oxalá, custasse o que custasse. Arquitetou um plano muitíssimo bem arranjado. Preparou uma comida gostosa para Oxalá, daquelas de que ele mais gostava e, dentro, despejou um ofó (pó mágico) que tinha o dom de causar ilusões: o desejo de quem o consumisse era (aparentemente) realizado.

Oxalá, em sua alucinação, deitou-se com Nanã achando que ela era a senhora das águas. Não cansava de dizer: "Odô, odô"– a saudação para Iemanjá.

Apesar de velho, Oxalá era impetuoso – e Nanã nem se diga! Amaram-se por três dias e três noites consecutivos.

Oxalá achava que estava com Iemanjá, em seus domínios, no fundo do mar, nos braços da sereia. De repente, a poção perdeu o efeito e Oxalá, caindo em si, ficou muito contrariado. Foi embora, irado, e nunca mais quis saber de Nanã, aquela traidora.

Sempre tem alguém que ouve o que não deve e espalha a novidade. Dessa vez o mexerico foi bom. Iemanjá recebeu o senhor da vida de braços abertos em seu palácio de cristal. Ele seria pai de muitos filhos... povoariam o mundo!

Nanã ficou tão triste, tão triste, que passou a definhar. Caso ela morresse (seria possível?), o que seria da vida no aiê? Oxalá foi ter com Nanã e acabaram se entendendo. Mesmo sob o efeito da poção má-

· **NANÃ** ·

gica, os dias e noites de carícias estavam presentes, muito presentes, na memória do grão senhor...

Desse dia em diante, o coração do velho ficou dividido: um pedaço de cada aiabá. Quem passou a definhar foi ele. Nanã e Iemanjá se reuniram e acertaram tudo. Estavam dispostas a dividir o amor do grande senhor da criação. Os três, juntos, seriam imbatíveis.

Todos ficaram felizes e contentes e a vida no aiê se multiplicou. A partir de então, Oxalá se senta em seu trono, entre Nanã (mais velha) – do seu lado direito – e Iemanjá – do seu lado esquerdo.

Todos os filhos são irmãos, entendem-se e comem na mesma mesa.

Quem for de bem que chegue.

Há espaço para todos e para todas.

Axé.

A título de conclusão...

Desejo que os queridos leitores e leitoras tenham caminhado por essas páginas guiados pela ternura e encantados pelo mistério – duas armas poderosas de combate às intolerâncias; embalados pela fala arrastada, que nem chinelos, de uma tia de olhos divertidos e compassivos, sentindo cheiro de macaçá com o gosto, nas bocas sedentas, da água boa de um pote de barro.

Espero que tenham lido saboreando, retomando nomes e conceitos devagarinho, voltando, sublinhando, discordando, partilhando com os amigos, concordando... querendo saber mais e mais.

Almejo, com todas as forças de meu querer, que tenham começado a entender a mística dos orixás, na certeza de que o Mistério é Infinita Surpresa, revelada a todos os povos de uma forma particularmente amorosa.

As páginas deste livro proclamam uma história de amor.

Partilhei com vocês a história de um povo valente e apaixonado que não hesitou em dar a vida por seus orixás, voduns e inquices, que, mesmo, assim, ainda são chamados, pelos desafetos do Mistério, de superstições demoníacas, produtos de religiões espúrias, não reveladas.

Cléo Martins
Ilê Axé Opô Afonjá, em Salvador, da Bahia, Brasil.

Gênese: a experiência do sagrado

Cléo Martins é autora que caminha entre a vivência religiosa no candomblé e um consistente conhecimento teológico que vem trazendo de maneira organizada para o público leitor em conjuntos de textos que assumem valor de veracidade pelo que reúnem de pesquisas em etnografias sensíveis nos terreiros matrizes da tradição iorubá na Bahia.

Assim, relativiza permanentemente com os herdeiros dos costumes banto, angola e com os fon-

Ewe, jeje do Recôncavo e ainda do mina-jeje do Maranhão, ampliando o olhar sobre o sagrado, como processo dinâmico de fé e de cultura.

Nanã, a senhora dos primórdios é inicialmente uma homenagem à mãe que é vida e à mãe que é morte, pois indivisível e total é a compreensão do candomblé na relação entre nascer e morrer, princípios éticos e morais que fundamentam papéis sociais de homens e mulheres.

Viver o corpo, viver o espírito, viver a terra, viver a água, viver a mata, viver o ar, viver os ancestrais: tudo gera ações intercomunicadoras.

Cléo Martins vê de maneira complexa os sistemas sagrados dos rituais religiosos do candomblé e as múltiplas interpretações que chegam da tradição, convivendo com a mudança, com os modelos africanos e os modelos afrodescendentes. Assim, recorre também a outros sistemas sagrados não africanos para argumentar e aproximar os princípios da gênese e da morte, universaliza e busca diferenças, parti-

NANÃ

cularidades étnicas, todas recorrentes ao homem, o intermediador entre os orixás e a natureza.

Somos herança do passado; o nosso presente é o processo para o futuro; o que realizamos já é um passado próximo, contudo gerando, construindo memórias. Nanã é um orixá das memórias. É testemunha da criação do homem, sendo a primeira genitora, pois a água unida à terra chega aos princípios construtivos da vida. Nanã é a grande guardiã e é aquela que acumula experiências históricas da civilização, do mundo dos homens e dos ancestrais.

Cléo Martins enriquece seu livro com textos sagrados do axexê e que falam das diferenças e das outras compreensões sobre vida e morte na elaboradíssima organização religiosa e cultural que é o candomblé.

A pesquisa comparativa da autora traz importantes informações sobre os rituais do axexê no Ilê Axé Opô Afonjá, no Gantois e na Casa Branca, casas irmanadas pela tradição queto-iorubá, relatando ainda rituais nos terreiros e nações angola e jeje, da Bahia, e no mina-jeje, do Maranhão.

Tudo isso legitima o estudo de Cléo Martins, uma autora na busca da documentação de patrimônios tão importantes para a continuidade da memória afrodescendente nos terreiros e na sociedade complexa.

Os orixás comunicam-se com os homens em linguagens sensíveis, caracterizam materiais, cores, formas, significados e dessa maneira manifestações estéticas funcionam na transmissão de conhecimentos, de princípios morais e religiosos entre outros.

A estética sagrada do comer, do vestir, do dançar, dos acessórios, da joalheria e os textos orais recolhidos pela autora apóiam a compreensão mítica do orixá Nanã em contextos dos terreiros de candomblé e nas relações sociais mais amplas, pois o sagrado convive no cotidiano do homem.

Por tudo isso, ler (e principalmente privar da amizade de) Cléo Martins é experiência e ao mesmo tempo partilha do mistério do saber: aqui comprovado no livro sobre Nanã, sobre o candomblé da Bahia, sobre os princípios de uma religião que celebra antes de tudo a vida.

Raul Lody[*]

[*] Antropólogo.

Glossário

• Agbeni
o que divide a mesma causa.

• Agbeni Şàngó
título religioso no culto do orixá Xangô.

• Ajés
(iorubá aje) – como são chamadas as èleyé. (ver)

• Ajoiê
assessora direta do orixá. Considerada a "mãe" do orixá; sinônimo de equede; qualquer pessoa que detém um posto religioso; sinônimo de oloiê.

• Asiwaju
(iorubá) – vanguardeiro.

• Assentos / assentamentos
conjunto de objetos sagrados e consagrados que representam o próprio orixá.

• Atarê
pimenta-da-costa.

• Axé
(iorubá àşe) – força, "assim seja", magia e também nome atribuído às casas de culto aos orixás.

· **NANÃ** ·

- Bambá

o creme natural do azeite-de-dendê.

- Babá

(iorubá) – papai, pai.

- Camisú

peça do vestuário feminino: camisa, blusa.

- Ebó

oferenda ou sacrifício propiciatório.

- Efum

giz branco usado para iniciação e outros rituais.

- Ègbé

(iorubá) – sociedade.

- Euó

proibição, quizila (bantu – quizília).

- Filho(a)-de-santo

iniciado na religião dos orixás, voduns e inquices.

- Equede

sinônimo de ajoiê.

- Ialodê –

(iorubá ìyálodé) – a mulher mais importante de um lugar; epíteto de Oxum.

• **Ialorixá**

(iorubá Ìyáloriṣa) – sacerdotisa suprema dos orixás.

• **Ijexá**

povo de fala iorubá localizado na Nigéria; 2. o principal culto ao orixás Oxum (Òṣun), Erinlé e Logunedé é feito em Ijexá; 3. o nome dado a uma nação de candomblé próxima à nação de queto; 4. ritmo sacro entoado nos terreiros das nações de queto, ijexá e efã.

• **Inquice**

divindade (ou divindades) dos povos bantus.

• **Itã(s)**

versos recitados pelo babalaô (babalawo) nos jogos oraculares.

• **Mobá**

(iorubá mogba) – sacerdotes do culto de Xangô.

• **Nação**

expressão popular usada pelos membros dos candomblés, que toma como referência o culto praticado: orixás (nação queto), inquices (nação angola) e voduns (nação jeje).

• NANÃ •

• Obá

(iorubá) – rei; 2. prefixo do nome dos iniciados de Xangô; 3. sacerdotes (masculino) de Xangô, no Opô Afonjá.

• Ofá

ferramenta de Odé equivalente a um arco e flecha de metal.

• Ojás – (plural)

(iorubá ojà) – tiras de pano de mais ou menos um metro e meio de largura, usadas como parte do vestuário da filha-de-santo. Os ojás podem ser usados na cabeça, em forma de turbante, ou no peito, em forma de laço.

• Ofó

pó mágico, preparado especial; "atim".

• Olhador

sacerdote ou sacerdotisa que tem como uma das atribuições a consulta oracular.

• Olhar

expressão popular usada para consulta oracular.

• Olodê

senhor da rua; orixás que gostam de morar na rua; os orixás olodês são Exu, Ogum, Obaluaiê e Iroco.

· **NANÃ** ·

- Onijá

(iorubá) – guerreiro.

- Osun

pó vermelho utilizado para iniciações e outros preceitos.

- Oió

principal localidade da Nigéria, de culto ao orixá Xangô.

- Pano-da-costa

Peça importante do vestuário feminino semelhante a um xale retangular, que deve ter aproximadamente dois metros de comprimento e oitenta centímetros de largura.

- Saia com pouca-roda

as iniciadas usam muitas anáguas engomadas sob a saia principal; "pouca-roda", quer dizer, pouca goma.

- Terreiro

sinônimo de casas de culto a orixás, voduns e inquices, no Brasil.

- Waji

uági: pó usado para iniciações e outros rituais.

Referências bibliográficas

ABIMBOLA, Wande. *Yoruba Oral Tradition*. Ibadan University Press, 1975.

AZEVEDO, Stella; MARTINS, Cléo. *E daí aconteceu o encanto*. Salvador: Opô Afonjá, 1988.

AZEVEDO, Stella. *Meu tempo é agora*. São Paulo: E. Oduduwa, 1993. 1ª edição.

BARROS, José Flávio Pessoa de. *A fogueira de Xangô – Uma introdução à música sacra afrobrasileira*. Rio de Janeiro: s/e, 1999.

BARROS, Marcelo. *Celebrar o deus da vida*. Rio de Janeiro: Edições Loyolla, 1992.

_____. *O sonho de deus*. Petrópolis: Vozes, 1996.

_____. *A dança do novo tempo – O novo milênio, o jubileu bíblico e uma espiritualidade ecumênica*. E. Sinodal, 1997.

_____. "A eterna caçadora do amor divino". In: *Faraimará – O caçador traz alegria – Mãe Stella – 60 anos de iniciação*. Martins, Cléo e Lody, Raul (org.). Rio de Janeiro: Pallas, 1999.

BASTIDE, Roger. *O candomblé da Bahia. Rito Nagô.* 3ª edição. São Paulo: Nacional, 1978.

_____. *Estudos afro-brasileiros.* São Paulo: Perspectiva, 1973.

_____. *As religiões africanas no Brasil*: Contribuição a uma sociologia das interpenetrações de civilizações. São Paulo: Pioneira & Edusp, 1971.

Bíblia (tradução ecumênica) 2ª Edição. São Paulo: E. Loyolla, 1995.

BLANK, Renold J. *Escatologia da pessoa – Vida, morte e ressurreição* (I). 2ª edição. Paulus, 2000.

BRAGA, Júlio Santana. *Ifá au brésil.* Annales de l'Úniversité D'Abidjan. Série D. Littérature, Sciences Humanines, v. 11, 1978.

CACCIATORE, Olga G. *Dicionário de cultos afro-brasileiros.* Rio de Janeiro: Forense, 1988.

CABRERA, Lydia. *El Monte – Igbo – Finda – Ewe Orisha – Vititi Nfinda.* 6ª Edição. Coleccion del Chicherekú. Miami, Flórida. Julho, 1996.

CÂMARA, Dom Hélder. *O deserto é fértil: Roteiro para memórias abrâmicas.* Rio de Janeiro: Civilização Brasileira, 1976.

CAROSO, Carlos; BACELAR Jeferson (orgs.). *Faces da tradição afro-brasileira – Religiosidade, sincretismo, anti-sincretismo, reafricanização, práticas terapêuticas, etnobotânica e comida*. Rio de Janeiro: Pallas/CNPQ, 1999.

CARNEIRO, Edson. *Candomblés da Bahia*. Rio de Janeiro: Edições de Ouro, 1961.

CARYBÉ. *Os deuses africanos no candomblé da Bahia. African Gods in the Candomble of Bahia*. 2ª edição. Salvador, Bigraf, 1993.

CHESI, Gert. *Voodoo – Africa"s Secret Power*. 1ª Edição de 1979/80. 2ª Edição de 1980/81. Áustria: Perlinger Verlag,

COSTA EDUARDO, Octávio da. *The Negro in Northern Brazil. A estudy in acculturation*. Nova York: JJ. Augustin Publisher, 1948.

COSTA LIMA, Vivaldo da. *O conceito de "nação" nos candomblés da Bahia*. Afro-Asia. Salvador, (12): 65-90. Junho, 1976.

_____. *A família de santo nos candomblés jeje-nagôs da Bahia – Um estudo de relações intra-grupais*. Salvador: UFBA, 1977.

A Dictionary of Ioruba Language. Oxford University Press, 1977.

ELLIS, A. B. *The Yoruba – Speaking Peoples Of The Slave Coast Of West Africa Religions, Manners, Customs, Laws, Language Etc.* Lagos: Pilgrim Books Ltd., Curzon Press Ltd. Londres, 1974.

ESPINO, Heriverto Fernandy. *Um acercamento a nuestras raices.* Editora Politica La Habana, 1993.

FATUMBI, Pierre Verger. *Ewe – o uso das plantas na sociedade iorubá.* São Paulo: Companhia das Letras, 1995.

FATUNMBI, Falokun Awo. *The Search for the Source of Santeria and Lucumi.*

FERREIRA, Aurélio B. de H. *Novo dicionário da língua portuguesa.* 1ª Edição. Rio de Janeiro: Nova Fronteira, 1975.

FERRETTI, Sérgio. *Querebentã de Zomadônu – Etnografia da Casa das Minas do Maranhão.* São Luís: Edufma, 1996.

FISCHER, Ernst. *A necessidade da arte.* Rio de Janeiro: Zahar, 1996.

GEBARA, Ivone. *Teologia ecofeminista.* Olho D'água, setembro, 1997.

_____. "A recusa do sincretismo como afirmação para liberdade". In: *Faraimará – o caçador traz alegria. Mãe Stella – 60 anos de iniciação.* Martins, Cléo e Lody, Raul (orgs.). Rio de Janeiro: Pallas, 1999.

GLASGOW, Roy. *Nzinga*. São Paulo: Perspectiva, 1982.

JESUS, Teresa. *Obras completas*. Rio de Janeiro: E. Loyolla, 1995.

KARENGA, Maulana. *Odu Ifa– The Etical Teachings*. Los Angeles: University of Sancross Press, 1999.

KURY, Mário da Gama. *Dicionário de mitologia grega e romana*. Rio de Janeiro: Jorge Zahar Editor, 1990.

LANDES, Ruth. *A cidade das mulheres*. Rio de Janeiro: Civilização Brasileira, 1961.

L'EPINAY, François Marie de. *Fé e cultura*. Publicações do ISER, ano 5, n° 21, Rio de Janeiro, 1986, pp. 57-59.

_____. "Igreja e religião africana do candomblé no Brasil" In: Revista Eclesiástica Brasileira (REB) v. 47, gsfv 188, dezembro de 1987, pp. 860-890.

_____. *Pensamentos de François de Léspinay: citações de suas conferências no Encontro dos Teólogos em Petrópolis*. São Paulo: Boletim CEHILA, n° 29, jan.-jul., 1986, pp. 3-4.

LEPINE, Claude. *Contribuição ao estudo do sistema de classificação dos tipos psicológicos no candomblé queto de Salvador*. Tese de doutoramento. São Paulo: USP, 1978, 2 volumes.

_____. "Os estereótipos da personalidade no candomblé nagô". In: *Òloòrisa, escritos da religião dos orixás*). Coordenação e tradução de Carlos Eugênio Marcondes de Moura. São Paulo: Agora, 1981, pp. 11-31.

LIMA DIAS, Arnaldo. "Uma convivencia na África". In: *Faraimará – o caçador traz alegria. Mãe Stella – 60 anos de iniciação*. Martins, Cléo e Lody, Raul (orgs.). Rio de Janeiro: Pallas, 1999.

LODY, Raul. *Tem dendê tem axé*. Rio de Janeiro: Pallas, 1992.

_____. *Jóias de axé*. Rio de Janeiro: Bertrand Brasil, 2001.

LOPES, Nei. *Logunedé. Orixá menino que velho respeita*. Rio de Janeiro: Pallas, 2001.

MORE, Thomas. *Care of the Soul. A guide for cultivating depth na sacredness in everyday life*. Nova York: Harper Perennial, 1994.

MANDADORI, Oscar. *Storie di Bahia, Fiabbe e legge di tutto il mondo*. Milão: Editores SPA, 1999.

MARTINS, Cléo; MARINHO, Roberval. *Iroco, o orixá da árvore e a árvore orixá*. Rio de Janeiro: Pallas, 2002.

MARTINS, Cléo. "Engenho velho, orgulho dos netos de São Gonçalo". In: *Faraimará – o caçador traz alegria. Mãe*

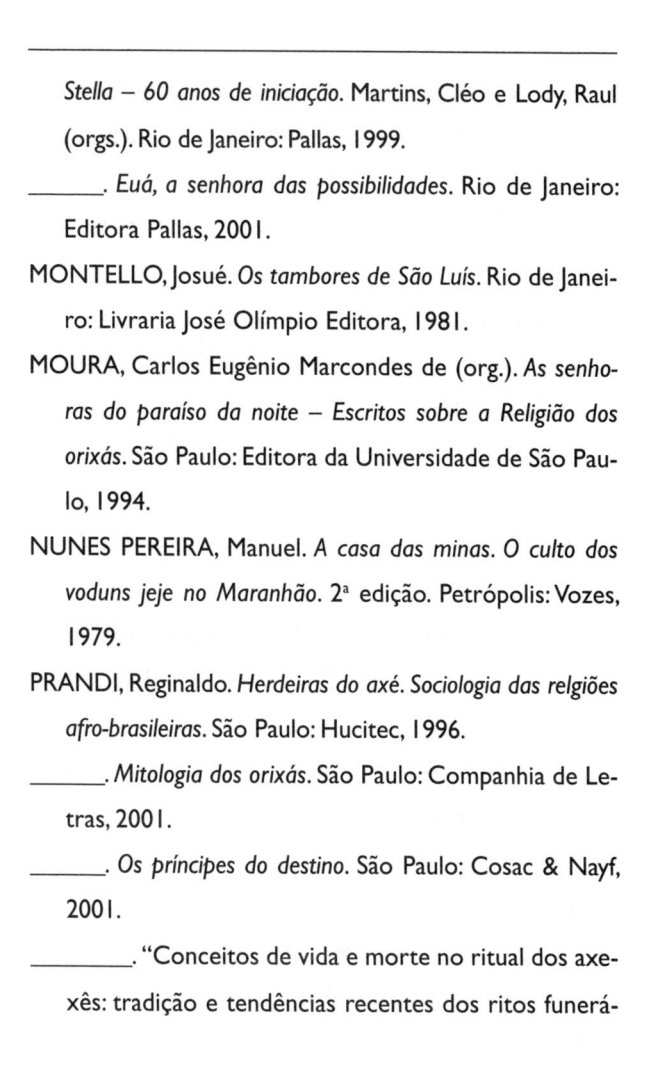

Stella — 60 anos de iniciação. Martins, Cléo e Lody, Raul (orgs.). Rio de Janeiro: Pallas, 1999.

_____. *Euá, a senhora das possibilidades.* Rio de Janeiro: Editora Pallas, 2001.

MONTELLO, Josué. *Os tambores de São Luís.* Rio de Janeiro: Livraria José Olímpio Editora, 1981.

MOURA, Carlos Eugênio Marcondes de (org.). *As senhoras do paraíso da noite — Escritos sobre a Religião dos orixás.* São Paulo: Editora da Universidade de São Paulo, 1994.

NUNES PEREIRA, Manuel. *A casa das minas. O culto dos voduns jeje no Maranhão.* 2ª edição. Petrópolis: Vozes, 1979.

PRANDI, Reginaldo. *Herdeiras do axé. Sociologia das relgiões afro-brasileiras.* São Paulo: Hucitec, 1996.

_____. *Mitologia dos orixás.* São Paulo: Companhia de Letras, 2001.

_____. *Os príncipes do destino.* São Paulo: Cosac & Nayf, 2001.

_____. "Conceitos de vida e morte no ritual dos axexês: tradição e tendências recentes dos ritos funerários no camdomblé". In: *Faraimará – o Caçador traz alegria. Mãe Stella – 60 anos de iniciação*. Martins, Cléo e Lody, Raul (orgs.). Rio de Janeiro: Pallas, 1999.

RAMOS, Arthur. *Introdução à antropologia brasileira. Os contatos raciais e culturais*. 3ª Edição. Rio de Janeiro: Livraria da Casa do Estudante do Brasil, 1962.

ROCHA, Agenor Miranda. *Caminhos de Odu*. Rio de Janeiro: Pallas, 1999.

RODRIGUES, Nina. *Os africanos no Brasil*. São Paulo: Nacional, 1935.

SÀLÁMÌ, Síkírù. *A mitologia dos orixás africanos*. São Paulo: Oduduwa, 1990.

SIQUEIRA, Maria de Lourdes. *Repensando o ser negro em terreiros de candomblé*. São Paulo, 1986. Dissertação de mestrado.

_____. *Agô ago Ionan*. Belo Horizonte: Maza Edições, 1998.

_____. "Dimensões organizativas da cultura afro-baiana". In: *Poder local: governo e cidadania*. Tânia Fischer (org.). Rio de Janeiro, 1993.

_____. *Os orixás na vida dos que nele acreditam*. Belo Horizonte: Maza Edições, 1995.

TAVARES, Ildásio. *Xangô, o orixá da justiça*. Rio de Janeiro: Pallas, 2001.

TEODORO, Helena. *Mito e espiritualidade das mulheres negras*. Rio de Janeiro: Pallas, 1996.

VERGER, Pierre. *Fluxo e refluxo do tráfico de escravos entre o Golfo do Benim e a Bahia de Todos os Santo: Dos séculos XVII a XIX*. Tradução de Tasso Gadzanis. São Paulo: Corrupio, 1987.

_____. *Orixás – deuses iorubás na África e no Novo Mundo*. Salvador: Corrupio, 1981.

WATTS, Alan. *A vida contemplativa. Um estudo sobre a necessidade da religião mística, pelo guia espiritual da juventude moderna*. Tradução de Celso Maye. Rio de Janeiro: Record, 1971.

Este livro foi impresso em outubro de 2023,
na Gráfica Santa Marta em São Paulo.
O papel de miolo é o offset 75g/m²
e o de capa é o cartão 250g/m².
A fonte usada no miolo é a Gill Sans 10/17.